心靈雞湯 Ⅱ

傑克・坎菲爾
馬克・韓　森 ⊙編著
吳　淡　如
林　志　豪 ⊙譯

勁草叢書36

心靈雞湯 Ⅱ

序

第一章　愛

心靈雞湯Ⅱ

第二章　給為人父母

心靈雞湯 Ⅱ

第三章　死亡與瀕死

心靈雞湯 Ⅱ

第四章　態度問題

第五章　學與教

心靈雞湯 Ⅱ

心靈雞湯 II

導言

宇宙是由故事組成的，而不是原子。

穆瑞爾・洛基瑟

我們很高興的將心靈雞湯第二集獻給你。這本書包含一百則故事，我們相信它能鼓舞提昇你，讓你更勇於愛人，過情感更充沛的生活，並堅定地追尋你心中的夢。在你受到挫折和失敗時，它會支持你，並在你痛苦失落時安慰你。它會變成你一生的朋友，在你需要它時，就給予你支持與智慧。

你即將展開一個愉悅的旅程。它會深深的觸及你的靈魂，有時讓你轉移到愛與歡樂的新層次。我們第一本「心靈雞湯」強而有力，每個讀者都告訴我們他們一氣呵成的讀完。我們訝異，這怎麼可能？而他們告訴我們，是屬於靈魂的愛的能源、鼓舞、淚水和歡笑深深擄獲他們，使他們一直讀下去。

怎樣讀這本書

這本書可以坐下來一氣呵成的讀完，但我不如此建議。我們希望你慢一點，從從容容的，像品嚐好酒一樣的享受它——一次嚐一點。每一次啜飲都會給你一點溫暖的亮光、一點精神上的刺激、一個燦爛的獎勵。你將會發現，每個故事都以不同的方式滋養你的心、你的頭腦和靈魂。我們邀請你心悅誠服於這樣的過程，讓自己有時間消化每個故事。如果你走馬看花，你會錯過其中蘊含的深意。每個故事都包含大量的生命智慧和經驗。

我們收了好幾千封信，讀者告訴我們這本書如何影響他們的生活，我們更堅信這本書是轉變人生的有力工具，這些故事直接向我們的潛意識傾訴。他們是構造了讓生命更美好的藍圖。它們也提供日常問題的解決方式，樹立了有效的創造性方法。它們治療我們的創傷，喚醒我們本性中最好的一面。它們使我們超越日復一日的生活，讓我們清醒的迎接無限的可能性。他們鼓舞我們做我們未來認爲不太可能的志願。

和別人一起分享此書

你可能擁有不爲人知的具體財富，
好幾個首飾盒的珠寶和好幾個保險箱的金子。
但你不會比我富有；因爲我知道有人聽我說故事。

辛西亞・珍珠・摩斯

你讀了某些故事之後會很想和你愛的人或朋友分享。當一個故事深深的感動你的靈魂時，暫時閉上你的眼睛，問你自己：「誰必須馬上聽這個故事？」你可能打電話和他們分享這個故事。在分享中你會得到更深的東西。看看馬丁所寫的：

故事本身就會幫助說故事的人。我的祖父行動不便。有一次有人要他說一個有關他老師的故事。他就說，他老師祈禱時常又舞又跳。祖父說故事的時候站起身來，自己沈浸於故事中，開始手舞足蹈，就像他所說的那個人一樣。從那時開始，他的殘障就好了。

這就是說故事的佳例！

你可以在工作中、在教會裡、在廟宇裡分享這些故事，也可以在家裡和家人一起分享。分享後，討論這個故事如何影響你和你爲什麼和他們分享。最重要的是，讓這些故事鼓舞你分享你自己的故事。

讀它、說它，並傾聽其他人的故事，會使你轉變。故事是有力的交通工具，解脫你不自知的能量，去治療、協調，去表達和成長。數百位讀者告訴我們，第一本心靈雞湯打開人類情感的柵門，使家庭與團體更加融洽。家人們開始記起並交流他們人生的重要經驗，並把這些經驗帶到餐桌上、家庭聚會裡、教室中、成長團體和教堂聚會中，甚至工作場所。

我們治療彼此的最有效的方式，是傾聽彼此的故事。

瑞貝卡．福斯

有個賓州的老師要她的五年級學生寫下屬於他們自己生活中的「生活雞湯」。這本書編寫好以後，被傳頌一時。對學生和他們的父母而言都有深遠的衝擊

力。

服務於某全美五百大公司之一的一位經營者告訴我們，她每次開公司會議時，都以一個「生活雞湯」的故事開頭。

神父、教士、心理學家、律師、訓練師和成長團體的領導人也常以此書的故事爲他們的聚會或佈道揭幕或做傳。我們也鼓勵你如此做。人們的靈魂渴望養分。只要短短時間就可以給他們持續性的衝擊。

我們也鼓勵你開始把你的故事告訴周圍的人。人們可能需要聽你說故事。就像這本書中幾個故事所指出的，它也許會救人一命。

有時我們的光溢了出來，但點燃的是其他人的火焰。我們每個人都感謝那些點燃這亮光的人。

亞伯特·史懷哲

這些年來有許多人已經點燃了我們的亮光，我們很感激他們，我們希望，我們也能點燃你的光亮，使它變成更大的火焰，如果我們能做到這一點，我們就

成功了。

我們也想聽到你對此書的反映。請寫信告訴我們你所受的影響。我們也希望你成為我們「振奮聯盟」的一份子。請將你認為我們應該放在下一本「生活雞湯」的故事、詩篇或漫畫寄給我們。我們殷切期望能得到你的聲音。並希望你享受我們編寫的第二部「生活雞湯」！

傑克・坎菲爾
馬克・韓森

卷一　愛

生命是首歌——唱它。
生命是遊戲——玩它。
生命是挑戰——迎接它。
生命是夢——了解它。
生命是犧牲——貢獻它。
生命是愛——享受它。

賽・巴巴

馬戲團

一個好人生命中最珍貴的那一部分，
就是他微小、默默無聞、不為人知的、
發自仁慈與愛的善行。

威廉・渥茲渥斯

我還是個少年的時候，父親曾帶著我排隊買票看馬戲團。排了老半天，終於在我們和票口之間只隔著一個家庭。這個家庭讓我印象深刻：他們有八個在十二歲之下的小孩。他們穿著便宜的衣服，看來雖然沒有什麼錢，但全身乾乾淨淨的，舉止很乖巧。排隊時，他們兩個兩個成一排，手牽手跟在父母的身後。他們很興奮的吱吱喳喳談論著小丑、象，今晚必是這些孩子們生活中最快樂的時刻了。

他們的父母神氣的站在一排人的最前端。這個母親挽著父親的手，看著她的丈夫，好像在說：「你眞像個佩著光榮勳章的騎士。」而沐浴在驕傲中的他也微笑著，凝視著他的妻子，好像在回答：「沒錯，我就是你說的那個樣子。」

賣票的女郎問這個父親，他要多少張票？他神氣的回答：「請給我八張小孩兩張大人，我帶了全家看馬戲團。」

售票員開出了價格。

這人的妻子別過頭，把臉垂得低低的。這個父親的嘴唇顫抖了，他傾身向前，問：「妳剛剛說是多少錢？」

售票員又報了一次價格。

這人的錢顯然不夠。

但他怎能轉身告訴那八個興致勃勃的小孩，他沒有足夠的錢帶他們看馬戲團？

我的父親目睹了一切。他悄悄的把手伸進口袋，把一張二十元的鈔票拉出來，讓它掉在地上。（事實上，我們一點兒也不富有！）他又蹲下來，撿起鈔票，拍拍那人的肩膀，說：「對不起，先生，這是你口袋裡掉出來的！」

這人當然知道原因。他並沒有乞求任何人伸出援手，但深深的感激有人在他絕望、心碎、困窘的時刻幫了忙。他直視著我父親的眼睛，用雙手握住我父親的手，把那張二十元的鈔票緊緊壓在中間，他的嘴唇發抖著，淚水忽然滑落他的臉頰，答：「謝謝，謝謝您，先生。這對我和我的家庭意義重大。」

父親和我回頭跳上我們的車回家。那晚我並沒有進去看馬戲，但我們並沒有徒勞而返。

丹・克拉克

卻斯

當卻斯跟著母親步下牙齒矯正診所的走道到停車場時，他的下嘴唇無助的發抖著。這個十一歲的男孩無疑的即將度過他生命中最難過的夏天。雖然醫生對他既溫和又客氣，但他卻必須面對適應牙齒矯正架來矯正一口參差不齊的牙這個事實。矯正過程可能相當痛苦，他不能再吃硬或耐嚼的食物，而且他也認爲自己會被他的朋友取笑。當母親和孩子開車回到他們小小的鄉間小屋，一路上兩人都沒有說話。他們的家只有十七英畝，但也養著一隻狗、兩隻貓、一隻兔子、一群鳥和松鼠。

對卻斯的母親辛蒂來說，決定讓卻斯接受牙齒矯正治療是件困難的事。她離婚五年，獨自撫養年幼的兒子，好不容易才省下牙齒矯正所需的一千五百元。

不久，在一個充滿陽光的午後，她最關心的人，卻斯，墜入愛河。

卻斯和他的母親拜訪他們家的老友雷克先生，雷克的農場距他家五十哩之遙。雷克帶他們到穀倉去，在那兒，卻斯看見了她。她看見這三個人走近時，

高高的舉起頭來。她亮麗的鬃毛和尾巴在微風中輕輕擺動。她名叫淑女，一匹無懈可擊的美麗母馬。她被安上了馬鞍，卻斯騎上她，開始他與馬的第一次接觸。他們馬上被彼此吸引了。

「如果妳想買，我可以把她賣給妳。」雷克先生告訴辛蒂：「一千五百元，妳就可以買下她，包括她的所有文件和拉她的韁繩。」對辛蒂而言，這可是困難的抉擇。她攢下了一千五百元，可以修整卻斯的牙齒，也可以買「淑女」，但不能兩者兼得。最後，她還是決定，爲卻斯戴上牙齒矯正器才是長遠之計。對母親和兒子來說，這都是個讓人落淚的決定。但辛蒂答應卻斯，她會常帶他到雷克先生的農場看淑女並且騎她。

卻斯很不情願的接受了他既長又苦的治療期。雖然沒什麼勇氣，對痛苦也沒有什麼忍耐力，卻斯只能屈服於戴上矯正器的外觀，和不斷拴緊齒列的痛苦。他拒絕說話、大哭或抗議，但矯正治療卻持續進行。在那個夏天裡，卻斯生命中最閃亮的時刻，就是母親帶他去騎淑女時。在那兒，他自由了，馬和騎士一起奔入廣大的牧場，一起奔進沒有苦痛的世界。只有草坪上韻律平和的馬蹄聲以及拂過他臉龐的風。騎著淑女的卻斯就像約翰韋恩一樣，「馬鞍使他變得高

大」，或像古代的騎士，正要去解救遇難的窈窕淑女，端看他怎麼發揮想像力。他總是騎得很久，結束後和雷克先生一起幫淑女按摩，清理她的馬廄並餵她，郤斯總會給他這個新朋友一把方糖吃。辛蒂和雷克太太則一邊做餅乾和檸檬汁，一邊看郤斯騎馬以消磨整個下午。

和淑女說再見總花了郤斯很長的時間，在他母親限定的時間內，郤斯能多耗一分鐘算一分鐘。郤斯會用他的手舉起馬頭，摩擦她強壯的肩膀，用他的手指當梳子梳她的鬃毛。這匹溫柔的母馬似乎也了解他給她的情感，耐心的站著，不時嗅嗅他。每一次，要離開雷克農場時，郤斯都會擔心，這是他們最後一次的會面。因爲淑女終於會被賣掉，那時馬的市價正好。

這個夏天，郤斯嘴裡的調整器不斷加緊。醫生告訴他，這種不舒適是必須的，因爲這樣可以使還沒長出的牙齒有空間進來。他還要忍受食物殘渣陷進機械裝置中的麻煩，以及臉部骨頭被扭曲的經常性痛苦：一千五百美元在他的牙齒治療中很快就會花完，沒法有多餘的錢來買他心愛的母馬。郤斯會問母親一些看來沒希望的問題，希望能夠得到一個可以振奮他的答案：他們可以借錢買馬嗎？祖父可不可以幫他？他可不可以去工作，省下錢來買馬？他的母親盡力

解答他的問題。當她感覺束手無策時，她會悄悄走開，默默流淚，因爲自己竟無法滿足她唯一的孩子的要求。

九月一個清爽的早晨，學校開學了，黃色的學校巴士停在卻斯家的巷口，學生們輪流細數他們在假期中的成果。輪到卻斯時，他雜七雜八的牽牽扯扯，就是不願提到那匹金色的母馬淑女。故事的最後結局尚未寫完，但他實在害怕它會如何結束。而在嘴內機械裝置的戰爭中，他打了勝仗，只保留一些不那麼令人難受的東西。

從母親答應帶他到雷克家騎淑女的那天起，卻斯熱切的期待第三個週末來臨。當天他起了個大早，餵了兔子、狗和貓，甚至還有時間掃後院的落葉。在他和母親離家前，他也將夾克口袋裝滿給淑女的方糖，他知道她一定在等他。對卻斯而言，在他母親把車開下主要道路轉到雷克農場的車道前，眞是一段天長地久的時間。卻斯的眼睛極力的尋找他所愛的馬。當他們開近穀倉時，他著急的往裡頭探望，可是淑女卻不在那裡，卻斯四處找不到馬轠時，他的脈搏砰砰亂跳。它也不在。轠繩和馬都不見了。他最壞的夢魘變成了事實。有人買走了馬，他再也看不到她了。

卻斯感到前所未有的空虛感。他們下了車，並且跑到房子前門按門鈴。沒有人出來應門，只有那隻大牧羊犬，黛西，搖著尾巴向他們打招呼。當他的母親愁容滿面時，卻斯跑到平常養淑女的穀倉。她的馬廄空了，馬鞍和氈子也不見了。他淚流滿面，回到車子裡。

「媽，我甚至來不及說再見。」他哽咽道。

開車回家的路上，辛蒂和卻斯滿懷心事默默無語。失去朋友的傷痛對卻斯而言需要時間復原，他只希望她能夠找到更好的家，有人愛她、關心她。他會爲她祈禱，而且永遠不會忘卻他們在一起的自在時光。當辛蒂開到家門口的那條路時，卻斯一直低著頭、閉著眼睛，所以他並沒有看到那發亮的紅色的馬轀正在他們的穀倉旁，也沒有看到雷克先生正站在藍色卡車邊。當他們的車停了下來，卻斯終於抬起頭來，雷克先生打開了卻斯的車門：「現在你存了多少錢，卻斯？」他問。

這不可能是眞的。卻斯不可置信的揉了揉他的眼睛。

「十七元。」他以猶豫的聲音回答。

「我的馬和馬轀，正好只要十七元。」雷克先生微笑的說。

這個交易的速度與簡潔都破了紀錄。沒多久，驕傲的新主人爬上馬鞍，騎上了他心愛的母馬。騎士和馬一瞬間就不見踪影，奔向穀倉後開放的牧草地。

雷克先生並沒爲他的行動多做解釋，他只是說：「這是這幾年來我感覺最好的時刻！」

布魯斯·卡密哥

海中救援

幾年前，在荷蘭一個小漁村裡，一個年輕男孩教會全世界懂得無私奉獻的報償。

由於整個村莊都靠漁業維生，自願緊急救援隊就成為重要的設置。有一個月黑風高的晚上，海上的暴風吹翻了一條漁船，在緊要關頭，船員們發出了S·O·S·的信號。救援隊的船長聽到了警訊，村民們也都聚集在小鎮廣場中望著海港。當救援的划艇與洶湧的海浪搏鬥時，村民們也毫不懈怠的在海邊舉起燈籠，照亮他們回家的路。

過了一個小時，救援船通過雲霧再次出現，歡欣鼓舞的村民們跑向前去迎接。當他們精疲力盡的抵達沙灘後，自願救援隊的隊長宣布，救援船無法載所有的人，只得留下其中一個；再多裝一個乘客，救援船就會翻覆，所有的人都活不了。

在忙亂中，隊長要另一隊自願救援者去搭救最後留下的人。十六歲的漢斯也

應聲而出。他的母親抓著他的手臂說：「求求你不要去，你的父親十年前在船難中喪生，你的哥哥保羅三個禮拜前才出海，現在音訊全無。漢斯，你是我唯一的倚靠呀！」

漢斯回答：「媽，我必須去。如果每個人都說：『我不能去，總有別人去！』那會怎麼樣？媽，這是我的責任。當有人要求救援，我們就得輪流扮演我們的角色。」漢斯吻了他的母親，加入隊友，消失在黑暗中。

又過了一個小時，對漢斯的母親來說，比永久還久。最後，救援船駛過迷霧，漢斯正站在船頭。船長把手圍成筒狀，向漢斯叫道：「你找到留下來的那個人嗎？」漢斯高興得忘我，大叫回去：「有，我們找到他了。告訴我媽，他是我哥保羅！」

丹・克拉克

第二百次擁抱

愛為人們療傷——對給予者與接受者都是。

卡爾．曼寧格醫生

我的父親進了醫院的加護病房，躺在附有追踪儀器和靜脈注射器的病床上時，他的皮膚像得了黃疸症的患者一樣。本來他和一般正常人無異，而進醫院後他已經少了三十磅了。

據醫生診斷，我的父親得了胰臟癌——一種最難纏的癌症。醫生在盡力救治的同時告訴我們，他只有三到六個月可活。胰臟癌無法適用放射線療法或化學療法，所以看來希望渺茫。

幾天之後，當他坐在床上時，我走到他身邊對他說：「爸，對你的情況，我感觸很深。它幫我看清我的疏遠，並使我明白我有多愛你。」我傾身想給他一

個擁抱，但他的肩膀和手臂竟變得緊張起來。

「來吧，爸，我眞的想給你一個擁抱。」

他愣了一會兒。我們平時相處並不善於表露情感。我要求他坐起來一點，這樣我才能用我的手圈住他。於是我再試了一次。這一次，他更緊張了。我可以感覺我們之間的舊恨又張牙舞爪起來，我開始這麼想：「我可不需要這麼做。如果你想跟我保持一樣的冷漠死掉，那是你的事。」

幾年來，我一直埋怨父親對我的反對與嚴厲，我恨他，而且對自己說：「看，他根本就不關心。」但此時，無論如何，我再次思索並了解到這個擁抱對我和我父親都好。我想要表示我有多關心他，不管他多難接受我。我的父親從來就很像德國人，非常有責任感。在他的童年，他的父母一定教過他，不要表露情感才是男子漢。

我揮去長久以來想譴責他　成父子疏遠的欲望，我眞的希望迎接這個挑戰：給予他我更多的愛。我說：「來吧，爸，用你的手環著我。」

我傾身向床緣接近他，以便他的手臂能環住我。「現在，緊緊的抱住我。再一次，緊緊的。很好！」

從某方面來說，我是在教我的父親如何擁抱，但當他緊緊抱住我的時候，有些事發生了。那一瞬間，一種「我愛你」的感覺滋生了。多年來我們之間的見面都非常冷漠，只是正常的握手，說：「哈囉，你好嗎？」，但現在，他和我都等待片刻的親密再次發生。

是的，就在他開始享受愛的感覺時，他的上身似乎很僵，而我們的擁抱也陌生得可怕。在他丟棄他的嚴肅，讓他內在的感情能通過手臂來環抱我，就花了好幾個月。

由我起意的擁抱只是許多個擁抱的開端，但是後來他終於能自願親密的抱住我。我並沒有責怪他，只是支持他，畢竟，他必須改變的是他一生的習慣——那需要時間。我知道我們成功了，因爲關懷與愛使我們變得更加親密。在差不多第二百個擁抱時，他同時大聲說了話，這也是我有記憶起第一次聽到的：「我愛你。」

哈洛德　布倫菲爾德

請給我一杯草莓啤酒和三個擁抱！

我的母親酷愛草莓啤酒。每次我開車去看她時，我總感到毛骨悚然，對她喜歡的東西也不敢恭維。

我的父母在晚年時都住進了安養中心。因爲我的母親得了阿茲海默症（老年癡呆症），我的父親病了，無法再照顧她，所以他們住不同的房間，但盡可能地聚在一起。他們深愛著彼此。這對銀髮戀人經常手牽手在各廳堂中散步，拜訪朋友，傳播愛，他們成爲安養中心的浪漫史。

當我得知母親的病情正在惡化時，我寫了一封長長的信給她。我告訴她我有多愛她，爲我成長過程中對她的忤逆道歉。我告訴她，她是個偉大的母親，做她的兒子使我感到很驕傲。我告訴她一些很久以來就想說的事，過去我頑固的不開口，直到我了解如果我不說出來她可能不能了解我的愛。這是一封瑣碎的「情書」，也是一封圓滿達成任務的信。我父親常告訴我，她經常花好幾個小時把那封信一讀再讀。

我的母親不再認得我是她的兒子曾使我很難過。她經常會問：「喂，你叫什麼名字？」我也驕傲回答，我叫賴瑞，是她的兒子。她會對我微笑，握我的手。我希望我能一再的經驗那奇妙的接觸。

有一次我去看他們前，先爲我的父母各買了一杯草莓啤酒。我先到她的房間，再次自我介紹，寒暄了幾分鐘，再把另外一杯草莓啤酒帶到我爸的房間。我再回到母親那兒時，她幾乎已經把它喝光了。她躺在床上休息，人醒著。當她看見我進房間時，我們相對而笑。

我一句話也沒說，拉了椅子坐在床緣，拉住她的手。這眞是個神聖的連結，我靜靜將我的愛牢牢傳遞給她。在如此的沈靜中，我可以感覺一種無限神奇的愛，即使我知道，她並不了解誰在握她的手，甚至她是否握著我的手?!十分鐘後，我感到她溫柔的緊握我的手……一連三次。短暫而迅速，我知道她雖然沒說話，但她正說著什麼。

這不受限制的愛的奇蹟，受上帝的力量和我們自己的想像力所滋養。我簡直不敢相信！儘管她不能再像從前一樣表達她內在的想法，但不需說話，也能傳達出她無限的愛意。那一瞬間，原來的她好像回來了。

多年前，我父親和她約會時，她發明了這種特別的方法，告訴我爸：「我愛你！」他們在教堂中做禮拜時，他也會輕握她的手兩下表示：「我也是！」

我輕輕的握她的手兩下。她轉頭，給我一個充滿愛意的微笑，我一輩子無法忘記的笑。她的表情滿是愛意。

我記得她對我父親、家人及她親密的好友都用過這種愛的表示。她的愛持續深深影響我的人生。

又過了八到十分鐘。我們仍不說話。

忽然間，她轉向我，靜靜的說了這幾個字：「有人愛你是很重要的。」

我哭了。那是歡愉的眼淚，我給她一個溫暖又溫柔的擁抱，告訴她我有多愛她，然後才離開。

我的母親不久以後就過世了。

那天我們沒說什麼話；但她說話字字珠璣。我將永遠珍藏那特別的時刻。

賴瑞．詹姆斯

小小碎片

通常我的母親會要求我把「精緻瓷器」擺上餐桌。做過太多次，我也沒問過母親爲什麼。我猜那不過是我母親一時興起叫我這樣做。

有一天黃昏，我正在佈置餐桌，一個鄰居的婦人瑪姬忽然來我們家。她敲了門，因爲母親正忙著做菜，就叫她自己進來。瑪姬進了我們的大廚房，看見餐桌佈置得這麼漂亮，發表了評論：「哦，我想你需要招待客人。我待會兒再來。你應該第一個叫我來才是。」

「不，我很好，」我的母親回答，「我們並沒在等客人。」

「那麼，」瑪姬的臉色相當困惑：「爲什麼你把最好的瓷器擺出來，我們家每年只拿出來招待客人兩次呢。」

我的母親笑答：「因爲，我準備了我家人最喜歡吃的菜。如果你會爲特別的客人精心佈置餐桌，爲什麼不爲自己的家人也這樣做？他們對我來說比任何我能想到的人都特別。」

「是呀，可是你漂亮的瓷器可能會打破……」瑪姬回答，她顯然並不了解我的母親爲何用這種方式來表示家人的重要價值。

「哦，」我的母親隨口說。

「一些瓷器上的小瑕疵比我們全家聚在餐桌享用這些可愛的碟子進餐，價值小多了。而且，」她的眼眨了眨：「所有的瑕疵都有一個故事，不是嗎？」她看著瑪姬，以爲兩個孩子都已長大的母親應該懂得這些。

母親步到櫥櫃旁，拿下一個盤子，並說：「看到這個缺口裂痕沒有？這是我十七歲時發生的事。我永遠不會忘記那一天。」母親的聲音在想起往事時變得更溫柔了。

「某一年秋日，我哥哥們必須幫忙堆起當季最後的乾草，於是他們僱了一個英俊又高大的小伙子來幫忙。我的母親叫我到母雞窩裡收新鮮的雞蛋，那時我才看到新來幫忙的人。我停下來看他把一大捆沈重的新鮮綠色乾草扛到肩上，毫不費力的把它們擲向乾草堆中，看了好一晌。我告訴你，他是個出色的男人：高瘦，手腕細但手非常有力，頭髮既多又亮。他一定也感覺到我在看他，因爲當他把一捆草舉到半空中時，他微笑著轉頭停下來看我。他的英俊簡直難以形

容。」她緩緩的說，以一隻手指撫過那個盤子，輕輕的叩著它。

「我想我的哥哥們蠻喜歡他，所以才邀他和我們共進晚餐。當我大哥指定他坐在我旁邊時，我感覺自己差點死掉。你可以想像我有多不好意思，因爲他曾看見我站在那兒瞪著他瞧，而我現在竟要坐他旁邊！他的出現使我狼狽不堪，舌頭打結，只能低頭看著桌子。」

忽然間媽想起她是在小女兒和鄰居婦人面前說故事，她臉紅了，很快的將故事收了尾——

「當他把盤子遞給我要求我幫他盛東西時，我的手因流汗而緊張得發抖。我拿起盤子時，它滑了出去，撞上烘焙用的瓦盤，敲出了一個缺口。」

「哦，」瑪姬一點兒也沒被我母親的故事感動，「它聽起來像個我會企圖忘記的記憶。」

「相反的，」我母親繼續說：「一年後我就跟這個很棒的男人結婚了。直到今天，我看見這個盤子時，我都會想起我初遇他的那一天。」她小心的把盤子放回櫥櫃裡——在其他的盤子後頭，它有自己的空間。她看我正凝視著她，很快的對我眨個眼。

她知道瑪姬對她剛說的愛的故事毫無感覺，於是她又很快的拿下另一只盤子，一只曾經碎裂又被一塊一塊拼回的盤子，在凹凸不平的接合處中還有膠水凝固的痕跡。

「這個盤子在我們從醫院把新生兒馬克帶回家那天打破了。」媽說，「那天很冷，風又大！我六歲的女兒想幫忙把它拿到洗碗槽時，把它弄掉了。剛開始我有點不高興，但我告訴自己：『只不過是盤子破了，我不會讓一只破盤子改變我們家歡迎新生兒的快樂。』我還記得，我們全家幾次企圖把它用膠水拼起來時是多麼有趣！」

我相信，關於那一組瓷器，我媽還有其他故事要說。

過了幾天，我還是忘不了那個盤子。它一定很特別，不然我的母親不會小心的把它存放在其他盤子後面。對它的好奇一直在我心中醞釀變成一個小陰謀。

又過了幾天，我的母親到城裡去買生活用品。和往常一樣，我被指定在她不在時照料其他的孩子。車子開走後的前十分鐘，我做了每次她到城裡去時我都會做的事。我跑到父母的臥室中（我被禁止這麼做！）拉過椅子，打開衣櫃最上層的抽屜，到處瞧瞧，這件事我已經做過很多次了。在抽屜的最後端，在好

氣味的柔軟成人衣物下面，有一個日本製的珠寶盒。我把它拿出來，打開了它。在裡頭放著媽媽最喜歡的姑媽——希兒達姑媽留給媽媽的紅寶石項鍊；一對婚禮當日祖母送給母親的精緻珍珠耳環；還有我母親高雅的結婚「項鍊」，當她幫忙父親做外頭雜務時，她總會把這項鍊卸下來。

由於我被這些昂貴的珍藏吸引了，我做了每個小女孩都會做的事：我試戴它們，腦子裡充滿了對長大後的燦爛幻想，我想我會長成像母親一樣的美女，也會有這些珍貴的寶物。我簡直等不及長大，好支配完全屬於我自己的抽屜，告訴別人，他們別想碰！

這天我並沒有幻想太久。我動了小木盒子蓋上的紅色氈布—它將珠寶和一小塊很平常的白色碎片隔了開來，對我而言，這看來完全沒有意義。我移開那塊玻璃，把碎片放在燈下小心的檢查，且根據我的某種直覺，跑到廚房裡，拉椅子爬上去看櫃子裡的那個盤子。就跟我猜想的一樣。那塊碎片——被小心翼翼的和母親僅有的三件寶物一起貯放的碎片，果然屬於那個她第一天看見我父親打裂的盤子，和那個缺口同樣大小。

我變聰明了，而且對這神聖的碎片充滿敬愛，小心的把它放回珠寶盒中，讓

那塊氈布保護它。現在我知道瓷器保存著母親對家庭的愛的故事，但沒有任何一個故事比那個盤子的傳奇更值得紀念。因為有了這個碎片之後才滋生了一個又一個愛的故事，現在已經進行到第五十三章；我的父母已經結婚五十三年了！

我的妹妹問母親，未來她是否會把古董紅寶石項鍊給她時，另一個妹妹聲稱要祖母的珍珠耳環。我樂意把這些美麗的珍寶給妹妹們。對我來說，我寧可擁有一個非凡女子開始她非凡的愛情人生的紀念物。我寧願要那塊小小的瓷器碎片。

貝蒂 B．楊絲

它需要勇氣

面無懼色的面對每一次經驗，你會得到力量、經驗與信心……你必須做你做不了的事情。

艾林諾・羅斯福

她的名字叫妮姬，住在我家同一條街的另一頭。幾年來這個年輕女孩一直鼓舞著我。她的故事感動了我的心，因爲勇氣！

這個故事是從她七年級時一篇醫生的報告開始。她家人的懼怕變成了事實。診斷的結果是白血球過多症。接下來的幾個月，她都必須經常到醫院接受定期檢查。她打過無數支針，測試過千百次。然後就是化學療法，它是個可能救命的機會，可是她的頭髮全掉了。對一個七年級的女孩而言，掉頭髮是一種蹂躪，頭髮不會長回來。她的家人開始擔心了。

升上八年級前的暑假時她戴上假髮。感覺不太舒服，會癢，可是她還是戴著。以前，她相當受歡迎，很多同學都喜歡她。過去她是啦啦隊隊長，總有一大堆孩子圍繞在她身旁，但事情似乎改變了。她看來很奇怪，你知道孩子會有什麼反應。我想就和我們某些人一樣，有時我們會在背後嘲笑別人，且做出讓人痛苦的事，縱然我們知道那對別人來說是很大的傷害。在她升八年級的前一兩個禮拜，她的假髮被人從後頭拉走六次左右。她停下步子，彎腰，因爲害怕和困窘而顫抖，放回她的假髮，甩掉眼淚並且走回班上，她懷疑爲什麼沒有人會爲她挺身而出。

這樣的事持續了兩個可怕得像地獄一樣的星期。她告訴父母她再也無法承受了。他們說：「如果妳願意，妳可以待在家裡。」你想，如果你的女兒會死在八年級，你不會介意她有沒有升上九年級，你只能給她快樂，讓她有平靜的機會。妮姬告訴我沒有頭髮不算什麼，她說：「我可以應付，但是你可知道沒有朋友的感覺？你走在校園裡，而他們因爲你來了，遠遠的把你隔開，像紅海一樣。在該吃比薩的那天到餐廳吃比薩—我們學校供應的最好的午餐—你一到，他們卻留下一堆吃了一半的盤子。他們說他們不餓，可是你知道那是因爲你坐

在那兒他們才離開的。你可知道沒有人願意在數學課坐你旁邊，在你貯物櫃左右的孩子把自己的櫃子遷走的感覺？他們寧願把書跟別人放在一起，只因為他們怕站在一個戴假髮，得怪病的女孩旁邊。他們摘我假髮不要緊，可是他們難道不知道我最需要朋友嗎？是的，」她說，「失去生命無妨，因為你信仰上帝，確知你會如何得到永生。失去頭髮不算什麼，但失去朋友才是折磨。」

她打算離開學校回家休養，但這個週末有件事發生了。她聽到兩個男孩的故事，一個是六年級，一個是七年級，他們的故事給她勇氣繼續前進。七年級的這個男孩來自阿肯薩斯，儘管新約聖經在此不受歡迎，他還是把它放在襯衫口袋裡帶到學校。後來，有三個男孩逮到他，抓出他的聖經說：「你這膽小鬼，宗教和祈禱都是為膽小鬼設的。別再把聖經帶到學校來。」他卻虔誠的把聖經遞給三個中最大的那一個，且說：「看你有沒有膽子，把它帶到學校，繞著校園走一圈就好！」他們說，他因而交了三個朋友。

鼓舞妮姬的另一個故事是個從俄亥俄來的六年級學生，名叫吉米・麥斯特丁諾。他相當仰慕加州，因為加州有一句州座右銘，叫：「Eureka!（知道了！）」，而俄亥俄沒有，而他為俄亥俄帶來了一句有創意的話。他一個人去取得足夠

的簽名。他把請願書簽滿了，然後帶它到州立法局去。今天，因爲這個勇敢的六年級學生，俄亥俄官方的州座右銘是：「有上帝，凡事可能。」

妮姬受到這新發現的故事所鼓舞後，下一個星期一，她又戴上假髮上學。她儘量把自己弄得很漂亮，告訴她的爸媽：「我今天要回學校上學。我必須做一些事，發現一些新事物。」他們很擔心，不知道她的意思是什麼，他們怕有什麼不好的事發生，但還是載她到學校去。最後這幾個禮拜的每一天，妮姬在下車前一定擁抱親吻她的父母。雖然她還是不受歡迎，但縱使有很多孩子嘲笑、作弄她，她從不被嘲笑阻擋。這天不太一樣。她擁抱且親吻父母，但當她離開車子前，她靜靜的轉身，且說：「爸媽，你猜今天我要做什麼？」她的眼睛充滿了淚水，但那是歡愉與堅強的眼淚。是的，還有對未知的恐懼，但她已經有了一種動力。他們問：「寶貝，怎麼了？」她回答：「今天我要去發現誰是我最好的朋友，誰是我眞正的朋友。」她抓掉了假髮，把它放在她的座位旁。她說：「他們必須接受我原來的樣子，爸，否則他們就是不接受我。我沒有太多時間了。我今天必須把眞正的朋友找出來。」她開始走，走了兩步，又轉頭說：「爲我祈禱吧！」他們說：「會的，寶貝。」當她向六百個孩子走去時，

她聽見他的父親說：「那才是我的好孩子！」

今天，奇蹟發生了。她經過運動場，走進學校，沒有人大聲喧嘩，沒有人敢作弄這個充滿勇氣的小女孩。

在這世上的數千個妮姬——做你自己，運用上帝給你的天賦，即使在困惑、痛苦、恐懼和迫害中，堅持你認爲對的東西是生活唯一眞實的道路。

妮姬早就從高中畢業了。沒有人想到她會結婚，過幾年，她卻結了婚而且驕傲的成爲一個小女孩的母親，她的女兒和我的小女兒取同樣的名字，艾茉莉。每一次，當我必須面對一些似乎不太可能的事時，我總想到妮姬，我的力量因而增強。

比爾．山德斯

做你自己

我來這世界上不該有人問我：「爲什麼你不是摩西？」我應該被問的是：「爲什麼你不是朱絲亞？」

瑞比・朱絲亞

從我是個小小孩起，我就不想做我自己。我想像比爾・威鐸登一樣，而比爾・威鐸登卻一點也不喜歡我。我學他走路，學他說話的方式，上他上過的高中。

比爾・威鐸登也同樣的改變自己。他開始繞著荷比・凡德登；走路學荷比・凡德登，說話學荷比・凡德登。他使我困惑了！我開始以比爾・威鐸登的方式走路、說話，而他竟正在跟著荷比・凡德登走路、說話。

然後我發現荷比・凡德登走路和說話都像裘伊・哈布林。而裘伊・哈布林走

路和說話像林奇・沙必森。

所以我走路和說話的方式像比爾・威鐸登所模仿的荷比・凡德登所看見的裘伊・哈布林所企圖倣效的柯奇・沙必森的走路方式。你認爲柯奇・沙必森說話、走路總像誰？所有人中，他最像杜佩・威靈頓——而這傢伙走路和說話的方式都像我！

作者佚名

由史考特・舒曼提供

……

卡文・柯立芝總統曾邀請他家鄉的好友到白宮共進晚餐。這些客人怕自己的餐桌禮儀不佳，於是決定事事學柯立芝做。在咖啡送來時悲劇發生了。總統把咖啡倒咖啡碟裡。客人也這麼做。柯立芝又加了糖和奶精。客人們如法炮製。然後柯立芝彎腰，把他的碟子放在地板上的貓面前。

艾瑞克・歐森

……

妳不必變成妳媽，除非是妳想要成爲她。妳不必變成妳的外婆、曾祖母或曾曾祖母。妳可能會繼承她們的下巴、臀部或眼睛，但妳並不註定要和這些比妳先來的女人一樣。你不註定要過她們的生活。所以如果妳要繼承些什麼，就繼承她們的勇氣和她們的韌性。因爲妳只被註定成爲妳決定成爲的人。

潘・芬格

……

當我得到冠軍之後穿上舊牛仔褲，戴上舊帽子，蓄鬍子，我要走到那條老鄉村路，在那兒沒人認識我，除了一隻不知道我叫什麼名字的小狐狸，她只愛我本來的樣子。我會把她帶回我被百萬家具裝潢簇擁的二十五萬元的房子，我也要把我所有的凱迪拉克車和雨中用的室內游泳池給她看，告訴她：「這都是妳的，甜心，因爲妳愛我原來的樣子。」

穆罕默德・阿里

我不對今天的孩子失望

在我搭飛機趕赴下一場演講時，偶爾會發現身旁坐著非常嘮叨的人。這對我而言是個有趣的經驗，因爲我有觀察人們的習慣。從觀察和傾聽每天遇到、看到的人中，我學到很多東西。我聽到憂傷的故事也聽到令人愉快的故事，有恐懼也有歡愉，也遇到一些可以和著名脫口秀主持人「歐普拉」和「喬朗多」媲美的傢伙。

令人難過的是，有時我的鄰座只是想把他的怒氣發洩在我身上，不然就是想把政治主張灌輸給我這個在六百英哩飛行中被俘虜的聽衆。過去我就曾遇到一個。我坐穩以後，乖乖聽他開始發表他關於這個世界可怕的狀況的陳腔爛調：「你知道，現在的小孩子呀……」他不斷的說話，不知所云的與我分享有關青少年和年輕人可怕的狀況，這些大概是有選擇性的來自他觀看的六點鐘新聞。

當我感恩的離開飛機，終於遷進我在印弟安那波里斯的旅館，我買了當地報紙，並在飯店中吃晚餐。在報紙的內頁中，我看到一篇我相信應該成爲頭版頭

條新聞的文章。

在一個印第安那的小鎮中，有個十五歲的少年得了腦瘤。他正在接受雷射和化學治療。那些治療的結果，使他所有的頭髮都掉了。我不知道你感覺如何，但我記得我在那個年齡會有的感覺——我一定痛心疾首！

這個年輕人的同學一起解除了他的窘況：跟他同年級所有的男孩問他們的母親，是否他們可以把頭髮剃掉，這樣布萊恩就不會成爲這所高中唯一禿頭的男孩。在那一頁，有一張母親剃掉她兒子全部頭髮的照片，其他家人以贊同的眼光旁觀。背景則是一群清一色禿頭的男孩。

不，我不對今天的孩子失望。

哈諾許・麥克卡提・艾德・D・

花

「我有很多花，」他說：「但孩子是所有花中最美麗的花。」

奧斯卡・王爾德

有一段時間，每個星期天有人會在我衣服的翻領上別上一朶玫瑰花。因爲每個星期天早晨我都有一朶花，所以我沒想太多。我欣賞這種友誼的表示，但它已變成規律。有一個星期天，被我認爲稀疏平常的事變得特別了。

當我離開主日禮拜時，一個年輕人走向我。他站在我面前，說：「先生，你要怎麼處理你的花？」剛開始我不知道他在說什麼，但一會兒我就懂了。

我說：「你指的是這朶嗎？」我指著別在我外衣上的玫瑰花。

他說：「是的，先生。如果你會丟掉它的話，可否給我？」那時我微笑告訴他，花可以給他，並隨口問他要做什麼。這個小男孩，或許還不到十歲，仰望

著我，說：「先生，我要把它送給我的祖母。去年我爸媽離了婚，我本來和我媽住，但她又再婚了，要我和我爸住。我和我爸住了一陣子，但他不願再收留我，便送我去跟我祖母住。她對我太好了。她煮飯給我吃，又照顧我。她對我太好了，所以我要把這朵漂亮的花送給她，謝謝她愛我。」

當小男孩說完話，我幾乎說不出話來，我的眼眶充滿了淚水，我知道我靈魂的深處深深的被感動了。我拿下我的花，把花拿在手裡，看著男孩說：「孩子，這是我聽過最好的事，但我不能把花給你，因爲這不夠。如果你走到講道壇的前面，你會看到一大束花。每一個星期都有不同的家庭買花送給教堂。請把那些花送給你的祖母，因爲那樣才配得上她。」

他的最後一句話，更使我深深感動且永遠珍惜。他說：「好棒的一天！我只要求一朵花卻得到一大束。」

約翰 R·蘭塞牧師

練習不經意的仁慈與不自覺的美德

它正是滿佈這個國家的地鐵標語。

在舊金山一個乾爽的冬日。有個女人開著紅色的本田，聖誕禮物堆滿了後座，開向了灣區大橋的收費亭。「我付我自己和後面那六部車的錢。」她笑著說，拿出了七張交換票。

後面六個駕駛者一一來到收費亭，拿錢繳費，都被告知：「前面有個女士已經幫你付費了。祝你愉快！」

這是因爲，這個開本田車的女人讀了在朋友冰箱上頭一張資料卡上的話：「練習不經意的仁慈與不自覺的美德。」這個句子跳進她的腦海裡，於是她就把它抄下來照著做。

茱蒂・福爾曼在離她家一百哩的倉庫牆上瞄到同樣的句子。留在她心裡好幾天之後，她決定開車回去把它抄下來。「我認爲它太美了，」她解釋她爲什麼要把這句話寫在每一封信後端的原因──「它像來自上天的訊息。」

她的丈夫法蘭克，也非常喜歡這個句子，他把它寫在教室的佈告欄上給他七年級的學生看。其中一個學生是當地一位專欄作家的女兒，專欄作家就讓它見報。她承認她很喜歡這句話，雖然不知道它的出處和它的眞義。

兩天後，她聽到了安・赫伯特的消息。赫伯特是個高大、金髮的四十歲女人，住在馬林—本國十大富庶之鄉之一，就是她傳出了訊息。那是一家義大利臘腸餐館，赫伯特把一張活頁紙上寫的這個句子記了下來，並在心裡思考了幾天。

「太棒了！」在她旁邊的人說，並小心的把它記在自己的記事本上。

赫伯特說：「它的意思是，你想什麼都是畫蛇添足，不經意做它就是了。」

她自己有幾個空想：一是粉刷教室以突破學校槁木死灰的外觀；二是供應熱食到鎮裡窮人的餐桌上。三是把錢偷偷塞進一個驕傲的老太婆的錢包裡。赫伯特說：「仁慈比暴力更深入人心。」

現在這個句子散播開來了，在汽車緩衝器的貼紙上、在牆上、在信紙和名片的末端。它散播時，同時也帶動善良的游擊戰。

在波特蘭、奧勒崗，人們會把硬幣及時投入陌生人的停車計時器中。在佩特

森、紐澤西，一打人會帶著水桶、拖把和鬱金香的球莖到頹敗的公寓，從上到下把它打掃得煥然一新，身體虛弱的老主人只能茫然的看著他們微笑。在芝加哥，一個青少年因而受到鼓舞鏟清了門前道路上的雪。「沒人看見，感覺眞差。」他想。於是他又鏟清了鄰居的門前路。

這是一種正面的無政府狀態、正面的失控與甜蜜的騷動。波士頓的一名婦人在支票背後簽上「聖誕快樂！」。在聖・路易士的一個男人，他的車子被一個年輕女子從後頭撞上了，只對她搖搖手就讓她走，說：「只是小摩擦，別擔心。」

不自覺的美妙行爲也散播開來：有一個男人沿路種植水仙花，經過的車輛揚起的風將他的襯衫吹出了波浪。在西雅圖，有個男人自組一人衛生服務隊，在高大建築物中以超市推車收集垃圾。亞特蘭大，有個人拚命擦掉公園座椅上面的塗鴉。

他們說，如果你不讓自己高興點你就笑不出來——同樣的，如果你沒感覺你的困惑也因這世界變得稍微好一點而被澄清，你也做不出不經意的善行。

如果你沒感覺到一種震驚、一種愉快的衝擊，你也不會成爲一個領受者。如

果你是一個在交通尖鋒時段發現有人付了你的過橋費的人，誰知道這會不會鼓舞你以後為別人做點好事？在岔路上搖手讓別人先行？對一個疲倦的店員微笑？或做些更大、更偉大的？就像所有革命一樣，零星的善行剛開始很緩慢，起自一個單純的行動。你也一起來吧！

阿得爾·拉若

行動才是重要的，不是行動的結果。你必須做該做的事。也許不在你的權力裡，也許不在你的時代中，也許會有結果。但這不意味你就該停止做該做的事。你可能永遠不會知道你的行動會產生什麼樣的結果。但如果你什麼都不做，就不會有結果。

甘地

心

最美好的東西是看不到、摸不到的：但可以用心感覺。

海倫・凱勒

去年十二月底我和太太分手，你可以想像，我的一月過得有多糟。我接受了處理因仳離而引起情緒混亂的治療課程，並要求我的治療師給我一些幫助我展開新生的建議。我不知道她是否會同意，或縱然她同意了，我也不知道她會給我什麼東西。

我很高興她立即同意了，就如我預料之中的，她給我完全意想不到的東西！她給我一顆心，一顆小小的手工製的「普雷道」（Play-Doh）的心，上頭有明亮可愛的顏色。那是先前一位走過離婚過程的男客人給她的，他跟我一樣，很難打起精神。她還說，這不是要給我保存的，如果我找到我自己的心就得還她。

我了解，她給了我一顆具體的心當成可預見的目標，當做對我要求豐富感情生活的具體回應。我接受了，並期待有更深的情感歸屬能夠來臨。

我一點也沒想到，這個美妙的禮物很快就有了功效。

在治療課程之後，我把這顆心小心的放在駕駛座前頭，愉快的開車去接我的女兒茱莉安，這是她要睡在我新家的第一晚。她一進車子裡，就被這顆心吸引了。她把它拿起來仔細瞧，並問我它是什麼？我不確信我是否應該把全部的心理背景解釋給她聽，畢竟她只是個孩子。但我決定我該告訴她。

「它是我的治療師給我的禮物，幫忙我度過難挨的時光，但它不是我的，我要保存它直到我找到自己的心爲止。」我解釋道。茱莉安沒有發表評論。我再次猶疑自己告訴她這件事是不是對的。十一歲，她能懂嗎？她怎麼可能知道我要去彌補多大的裂痕，打破我舊有的生活模式，和人們發展更深、更豐富的情感聯屬？

經過幾個禮拜以後，當我的女兒又在我家時，她提早送給我一個情人節的禮物：一個被漆成紅色的小盒子，以金色的帶子綁著，上頭的巧克力被我們倆吃掉了。我熱切的打開那個漂亮的小盒子，驚喜的發現裡頭有一顆「普雷道」的

心，她漆好顏色並把它做好給我。我驚訝的看著她，猶豫著這是什麼意思。爲什麼她要給我一顆治療師給我的心的複製品？

一會兒她遞給我一張她自製的卡片。她有點害羞，但終於讓我打開卡片來讀。裡頭寫著一首超越她年齡的詩。她已經完全了解治療師給我禮物的意義。茱莉安寫給我一首我所讀過最令人感動、最充滿愛的詩。我的淚水泛濫成河，而我的心忽然打開了——

給爸爸

這裡有一顆心
給你保存
因爲你正要
努力的跳躍過去
祝你一路愉快

雖然它可能污污斑斑

但當你到達目的

請學習珍惜

情人節快樂

愛你，你的女兒　茉莉安

這首詩在我的心中遠超過我所有的財富

雷蒙・L・阿隆

現在就做！

如果我們發現我們只剩五分鐘可以把要說的話說完，每一個電話亭一定被那些結結巴巴要打電話給他愛的人所佔據。

克里斯多福・莫利

在我為成人上的一堂課上，最近我做了一件「不可原諒的事」。我給全班出家庭作業！作業內容是「在下週以前去找你愛的人，告訴他們你愛他。那些人必須是你從沒說過這句話的人，或者是很久沒聽到你說這些話的人。」

這個作業聽來並不刁難。但你得明白，這群人中大部份超過三十五歲，他們在被教導表露情感是不對的那個年代成長。不能表現情感或哭泣（這是絕對禁止的！）。所以對某些人而言，這眞是一個令人震驚的家庭作業。

在我們下一堂課程開始之前，我問他們，是否有人願意把他們對別人說他們

愛他而發生的事分享給大家。我非常希望有個女人先當志願者，就跟往常一樣。但這個晚上有個男人舉起了手，他看來深受感動而且有些害怕。

當他從椅子上拉開身子（他有六呎二吋高），他開始說話了：「丹尼斯，上禮拜你給我們這個家庭作業時，我對你非常生氣。我並不感覺有什麼人要我對他說這些話。還有，你是什麼人，竟敢教我去做這種私人的事？但當我開車回家時，我的意識開始對我說話。它告訴我，我確實知道我必須向誰說『我愛你』。你知道，打從五年前我的父親和我交惡了，從那時起這事就沒有眞正解決。我們彼此避免遇見對方，除非在聖誕節或其他家庭聚會中非見面不可。儘管如此，我們還是幾乎不交談。所以，上星期二我回到家時，我告訴我自己，我要告訴父親我愛他。」

「說來很怪，但做這決定時我胸口上的重量似乎就減輕了。」

「我一回到家，就衝進房子裡告訴我太太我要做的事。她已經睡著了，但我還是吵醒了她。當我這樣告訴她時，她還沒眞的起床，忽然抱緊我，打從我們結婚以來，這是她第一次看我哭。我們聊天、喝咖啡到半夜，感覺眞棒！」

「第二天，我一大早就精神奕奕的起床了。我太興奮了，所以我幾乎沒睡著。

我很早就到辦公室，兩小時內做的事比從前一天做的還要多。

「九點時我打電話給我爸問他我下班後是否可以回去。他聽電話時，我只是說：『爸，今天我可以過去嗎？有些事我想告訴你。』我父親以暴躁的聲音回答：『現在又是什麼事？』我跟他保證，不會花很長的時間，最後他終於同意了。」

「五點半，我到了父母家，按門鈴，祈禱我爸會出來開門。我怕是我媽來應門，而我會因此懦弱，乾脆告訴她代替算了。」但幸運的是，我爸來開了門。

「我沒有浪費一丁點的時間——我踏進門就說：『爸，我只是來告訴你，我愛你。』」

「我父親似乎變了一個人。在我面前，他的臉龐變柔和了，皺紋消失了，他開始哭了。他伸手擁抱我說：『我也愛你，兒子，而我竟沒能對你這麼說。』」

「這一刻如此珍貴，我一點也不想移動。我媽滿眼淚水的走過來。我彎下身子給她一個吻。爸和我又擁抱了一會兒，然後我離開了。長久以來我很少感覺這麼好過。」

「但這不是我的重點。兩天後，我那從沒告訴我他有心臟病的爸爸，忽然發

病，在醫院裡結束了他的一生。我並不知道他會如此。」

「所以我要告訴全班的是：你知道必須做，就不要遲疑。如果我遲疑著沒有告訴我爸，我可能就沒有機會！把時間拿來做你該做的，現在就做！」

丹尼斯 E・馬諾寧

安迪的犧牲

安迪是個可愛又令人發笑的小傢伙，因而人人都喜歡他，但人們對待他的方式也使他困擾。他禁得起開玩笑。他總是對玩笑報以微笑，大眼睛眨呀眨的，好像在說：「謝謝，謝謝，謝謝。」

對我們五年級學生來說，安迪是我們的出氣筒，大家捉弄的對象。對他付了這特別的代價才准成爲我們這群人之中的一員，他似乎還相當感激。

安迪德瑞克不吃蛋糕，
他的姐姐也不吃派。
如果沒有社會福利津貼，
德瑞克一家都會死掉。

看來他甚至喜歡傑克・史布拉特做的這首打油詩。我們其他人都很喜歡它，包括它蹩腳的文法。

我不知道爲什麼安迪必須忍受這個特別待遇來贏得我們的友誼，獲准成爲我

們的一員?自然而然就變成這樣——並沒有經過投票表決或討論。

我不記得曾提及安迪的父親在監獄，母親靠洗衣和男人維生，但安迪的膝蓋、手肘和指甲總是很髒，舊外套太大。很快的我們就以此嘲笑他。安迪從不反擊。

我想，在人很年輕的時候總是極想裝高尚。很清楚的，我們這群人的態度是——我們每個人都有權利屬於這一群，而安迪則是我們默許才可加入其中。

直到某一天某一刻我們才開始喜歡安迪。

「他跟我們不一樣!」

「我們不要他，對不對?」

我們之中誰說了這種話?這些年我一直想責怪藍道夫，但我也不能不誠實的說，這個發難的人引出了潛藏在我們每個人表皮下的野蠻性格。不管是誰說的，我們高興的接納了這個呼聲，表示我們都這麼想。

「我並不想做我們做的事。」

多年來我一直如此安慰自己。直到那天我偶然看到那些刺眼但無可反駁的句子，使我永遠確信——

地獄中最熱的角落，是爲那些在危難時還保持中立的人所設的。

這個週末同於往昔，我們一夥人愉快共聚。每一個星期五放學我們會在會員之一的家中聚會—這一次是我家—在附近林子中露營。母親們爲我們的「旅行」做大部分的準備，也爲安迪準備了一份東西，使他在打完零工後能加入我們。我們很快搭好了帳篷，不再受母親們左右了。我們個人的勇氣因人多勢衆而擴大了，現在我們成了對抗叢林的「男子漢」。

其他的人告訴我，因爲這是我的派對，就該我把這個消息告訴安迪！我？那個很久以來就相信，安迪私下認爲我比其他人強，因爲他常用小狗一般的眼睛望著我——常感到他以他睜得大大的眼睛對我表示他的愛與崇拜的我？

我訥訥的看安迪朝我而來，通過既長又暗的林蔭小道，樹木篩下了近黃昏時的光，在他又舊又髒的襯衫上像萬花筒似的變幻著。安迪騎著他獨一無二的腳踏車—那是女性用的腳踏車，用農夫襪的斷片環繞著輪胎的輪圈。他的樣子看來比以前我看到他時更興奮、更快樂，這個弱不禁風的小傢伙在他一生中都必須當大人。我知道，他正品嚐著第一次屬於這個團體的滋味，來享受「男孩的

樂趣」，做「男孩做的事」。

當我站在帳篷這邊等他時，安迪對我揮手。我漠視他快樂的招呼。他下了他的古怪腳踏車，一臉愉快的向我走來，一邊朝我說話。其他的人把自己封在帳篷裡，悶聲不響，但我可以感覺到他們的支持。

爲什麼他不正經點？他沒看到我並沒給他好臉色？他不知道他的喋喋不休我根本聽不進去？

不久他就該倒楣了！他看來更加天眞客氣，使他毫無防衛之力。

他的舉止看來像在說：「看來不太對勁，是嗎？班，沒關係。」他無疑的相當善於面對失望，任何打擊都不會使他緊張。安迪從不反擊。

我才不上當，我聽到自己說：「安迪，我們不要你。」至今仍令我印象深刻的是，他聽到這話時，兩滴巨大的淚珠迅速的出現在他的眼眶裡。記憶栩栩如生，因爲這幅景象在我心中瘋狂的倒捲過一百萬次。安迪看我的方式—好像一時間被凍僵了—但，那不是恨。是震驚？是不相信？或者是對我的同情？還是寬恕？

最後，安迪的嘴唇發出顫抖，他毫不猶豫的轉身，在黑暗中走向回家的漫漫

長路。

我進了帳篷。有個人—我們之中最沒感覺這一凝重時刻的人，開始唱起老打油詩。

安迪德瑞克不吃蛋糕，

他的姐姐也不……

頓時全體都沒有異議！沒有投票，沒人說話，但我們都知道。我們知道我們做了可怕的事，殘忍的錯誤。

在這個沈重的時刻，我們有了新的了解，根著於心永難忘懷：我們摧殘了一個照上帝的形象做出來的人，他沒有防禦而我們用來傷害他的唯一武器是拒絕。

安迪很少到校，很難知道他何時退學，但有一天我被告知他永遠離開了學校。我那時已和自己奮戰很多天，想找出一個適當的方法告訴安迪，我有多抱歉多羞愧，到現在仍是。我這才知道我只須緊握安迪的手和他一起哭泣，並且和他默默的相對就夠了。這樣做可以治療我們彼此。

我沒有再看到安迪。我一點也不知道他去了哪裡？現在他在哪裡？如果他還

活著的話。

但如果說我沒有再想到安迪那就完全錯了。從那個秋日後數十年來，在堪薩斯的樹林中，我遇過安迪德瑞克數千回。我的意識把安迪的樣子投射在後來我接觸的每個不幸的人身上。每個人都以和我心中久遠以來同樣難忘、充滿期望的眼神看著我。

親愛的安迪德瑞克：

你會看到這封信的機會很小，但我還是得試試看。現在來懺悔我的罪惡感已經太遲了，而我也不希望那麼做。

我很久以前的老朋友，我所祈求的是，你已學到什麼？沒有人能強迫你再做犧牲了。你從我這兒承受的痛苦，還有你所展示的勇氣，上帝已將它們合一扭轉爲祝福。這種認知可以減輕那一天可怕的記憶。

我不是聖人，安迪，我一輩子都沒能做我該做且能做的事。但我要你知道的是—我知道我沒有再出賣過任何一個安迪．德瑞克。我也祈求，希望我根本沒做那件事。

班．柏頓

天堂地獄大不同

有人和上帝談論天堂與地獄的問題。上帝對這個人說：「來吧，我讓你看看什麼是地獄。」他們進了一個有一群人圍著一個大鍋肉湯的房間。每個人看來都營養不良、絕望又餓壞了。每個人都拿著一支可以搆到鍋子的湯匙，但湯匙的勺比他們的手臂長，沒法把東西送進嘴裡。看來非常悲苦。

「來吧！我再讓你看什麼是天堂。」過了一會兒上帝說。他們進入另一個房間，和第一個沒什麼不同。一鍋湯、一群人、一樣的長柄湯匙。但每個人都很快樂，吃得也很愉快。

「我不懂，」這人說，「爲什麼他們很快樂，而另一個什麼都一樣的房間中，人們卻很悲慘？」

上帝微笑說：「很簡單，在這兒他們會去餵別人。」

安・蘭德斯

猶太牧師的禮物

這是一個故事，也許還是個神話。就跟一些神話故事的特色一樣，它有很多版本，而我要說的這個版本的起源難以探究，也是特色之一。我不記得在哪裡或何時聽到它或讀到它。再說，我甚至不知道是否對它做了扭曲。我所確知的是，當我知道這個版本時，它有個標題，叫做「牧師的禮物」。

這個故事與一個陷入困境的修道院有關。它曾是一個偉大的修道會，但因十七、十八世紀的反君主制迫害波及，十九世紀世俗主義的興起，它的支會已全部結束，在蕭條的總會裡也只剩五個僧侶，眞是蕭條到了極點：大院長和其他四個僧侶都已經七十歲了。很明顯的它已是一個垂死的修道會。

在環繞修道院的濃密樹林中，有一間小木屋，有個從附近城鎭裡來的猶太牧師，把它當做隱士生活的居處。這些老僧侶祈禱、靈修多年，有點通靈，所以當牧師在他的隱居處時他們總會知道。「牧師在樹林裡，牧師又在樹林裡了。」他們會彼此低語。由於大院長正爲修道會迫在眉睫的死亡煩惱，他決定去拜訪

一下這個隱居所，問牧師是否可以給他任何拯救修道院的忠告。

牧師在小屋裡迎接了大院長。但當大院長說明了來意後，牧師除了表示同情之外也束手無策。

「我知道它的狀況，」他表示，「人們已經完全失去了它的精神。在我的鎮上也一樣，沒有人願意再到猶太教會來。」於是老院長和老牧師一起哭了起來。然後他們讀了舊約聖經的前五章並談論一些深奧的東西。時間到了大院長該走的時候，他們互相擁抱。

「我們在這把年紀還能相遇眞好。」大院長說。「可是我還是沒有達到來這兒的目的。難道你眞的沒有話要說，沒有忠告要給我，幫我拯救垂死的修道會嗎？」

「我很抱歉，」牧師回答，「我沒有什麼忠告。我唯一能告訴你的是，你們之中有個人是彌賽亞（猶太人所期待的救世主）。」

當大院長回到修道院後其他僧侶們圍住他，問：「牧師說了什麼？」

「他幫不上忙，」大院長回答。「我們只是相擁而泣，一起念了舊約聖經的前五章。我走時他只說了一句話—這句話有點神秘—彌賽亞是我們之中的一個。

我不知道他是什麼意思。」

在之後的每天、每週、每個月中，老僧侶們一直在想牧師的話語有什麼意義。我們之中有一個是彌賽亞？他指的可能是我們這修道院僧侶中的一個嗎？如果是的話，是哪一個？你認爲他指的是大院長嗎？是的，如果他指的是某個人的話，他或許是指大院長。他當我們的領導人已經不只三十年了！不然，他可能是在指湯瑪斯弟兄。湯瑪斯弟兄是個有見解的人。很確定的他不是指艾爾瑞弟兄！艾爾瑞有時反覆無常。但再仔細想想，艾爾瑞雖然跟人合不來，但在道德上沒有瑕疵。也許牧師指的就是艾爾瑞弟兄。但絕不是菲力浦弟兄。菲力浦非常被動，絕對不是個人物。但是，接近於神秘的，他有一種當你需要他時他就在的天賦。他會奇妙的出現在你身邊。也許菲力浦是彌賽亞。當然牧師不會指我。他不可能會指我。我只是個平常人。但假設他指的就是我——假設我就是彌賽亞呢？哦，上帝，不是我，對祢而言我沒有那麼重要，我有嗎？

當他們爲此沈思時，老僧侶們開始對彼此非常虔敬，怕他們其中有一個就是彌賽亞。同樣的，他們自己搞不好就是彌賽亞，所以他們也開始對自己非常虔敬。

由於修道院所在地的森林非常美麗，所以人們偶爾還是會來拜訪這個修道院，在它的小草坪上野餐，在它的小路上流連，有時甚或會進入荒廢的禮拜堂沈思。當他們這樣做時，不知不覺的，他們感到五個僧侶被環繞在非常虔敬的靈氣中，而這股靈氣也散發出來瀰漫在這個地方的空氣裡。

有些很有奇妙吸力的東西，不由自主的吸引人。不知爲什麼，人們開始回到修道院，來野餐，來玩耍，來祈禱。他們開始帶朋友來，讓他們看看這個特別的地方。朋友又帶朋友來。

然後有些來修道院的年輕人開始和老僧侶們談得很投機。不久有個人就問，他是否能加入。不久，又有另外一個。幾年內，這個修道院又變成一個顯赫的修道會。這都要感謝牧師的禮物，它是光亮裡最有活力的中心點，也是這個領域中的精神財產。

M·史考特派克

祖母的禮物

從我有記憶的時候起，我就會叫祖母蓋姬的名字。當我還是嬰兒時，我嘴裡吐出的第一句話是「蓋蓋」，而我驕傲的祖母確信我企圖說出她的名字。她到現在還是我的蓋姬。

祖父去世時已經九十歲了，和祖母結婚超過五十年。蓋姬因此深感遺憾。她的生活失去了中心焦點，從這世界中退縮，進入無止盡的哀悼期。她的悲哀持續了五年。在這期間，我每一、兩個星期都去看她一次。

有一天，我去看蓋姬，希望把她從我祖父過世後她通常的昏睡狀態中喚醒。但她卻坐在安樂椅上搖著。當我還來不及為她的明顯轉變感到驚訝時，她已對我招手。

「你不想知道爲什麼我如此快樂嗎？你難道一點也不好奇？」

「當然，蓋姬，」我向她道歉，「原諒我一時反應不過來。告訴我，爲什麼你這麼快樂？爲什麼妳換了新的方式？」

「因爲昨晚我得到了答案，」她表示，「我終於知道爲什麼上帝帶走你的祖父並留我一個人下來。」

蓋姬充滿喜樂，但我必須承認我眞的被她說的話嚇了一跳。

「爲什麼，蓋姬？」我問。

然而，就好像要揭露世界上最大的秘密一般，她壓低了聲音，安樂椅上的身子向前傾，安詳而堅定的說：「你的祖父知道，生活的秘密就是愛，而他每天都在愛中生活。他在行動上也有無限的愛。我明白他無限的愛，但並沒有完全在愛中生活。這就是爲什麼他先走，而我必須留下來的原因。」

她停了下來，好像在考慮她該說什麼，然後繼續說：「這一段時間我一直認爲自己爲了某種原因而被懲罰，但昨晚我發現我被上帝留下來是一種禮物。他讓我留下來，以便轉變我的生活進入愛中，你看！」她以一支手指指向天空，繼續說：「昨晚我明白，離開這兒我就學不到這堂課。愛必須在人間才能體驗。當你離開時就太遲了。我被贈予了生命這個禮物，所以我從現在開始要學習生活在愛中。」

從這天開始，每一次拜訪她，聽她說她朝向目標所完成的事，都成爲一個新

的冒險。有一次我去看她時，她興奮的大力搖動安樂椅，並說：「你絕對猜不出來今天早上我做了什麼！」

當我回答我猜不出來時，她興奮的說：「今天早上，你伯父對我做的事很生氣，但我眉頭都沒皺一下！我接收了他的生氣，把它轉變成愛，變成快樂還給他。」她的眼睛眨呀眨的：「有趣的是他的憤怒消失了！」

雖然她的年紀越來越大，但她的生命更新了，變得生氣蓬勃。在這幾年後的每一次拜訪，蓋姬都在實習她愛的課程。在她日後的十二年中她有了生活的目標和繼續活下去的理由。

在蓋姬人生的最後幾天，我常到醫院中看她。有一天當我走向她的房間時，一個照顧她的護士看著我，說：「你的祖母是個非常特別的女人，你知道……她像光一樣。」

是的，目的照亮了她的生命，一直到生命盡頭，她變成其他人的亮光了。

D・翠尼戴得・韓特

天使沒腿就能飛

連接生與死這兩塊陸地的橋樑是愛……

托頓・威爾德

在我上次到波蘭華沙的旅程中，當我說我們想去拜訪人民時，這領著我們三十個從加州聖帝歐人性自覺機構來的市民外交家的導遊嚇壞了。「別再帶我們看美術館和天主教堂！」我說，「我們要和人們見面！」

這個導遊名叫羅勃特，他說：「你們在開我玩笑？你們一定不是美國人。可能是加拿大人。不是美國人，美國人才不要和人們碰面。我們看過「朝代」和其他的美國電視劇。美國人對人不感興趣。告訴我實話吧！你們是加拿大人還是……英國人是吧？」

令人難過的是，他不是在開玩笑。他很正經。我們也是！在關於「朝代」和

其它電視劇和電影的漫長討論後，我們承認，是的，有很多美國人喜歡如此，但有更多美國人不是。我們再次要求羅柏帶我們和人們碰面。

羅勃帶我們到一個年長女性設立的療養院。最老的女人已經一百歲了，她們說她是前蘇俄的公主。她以各種語言朗誦詩歌給我們聽。雖然有時首尾不太連貫，但她的優雅、吸引力和美麗已展露無遺，且她不願讓我們離去。我們被護士、醫生、服務人員及醫院的行政人員陪伴著，在這間收有八十五個老婦的療養院歡笑、握手。有些人叫我「爸爸」，要我擁抱他們。我照做了。當我看見在他們衰弱的身體中美麗的靈魂時，我不斷地掉下眼淚。

我們拜訪的最後一個病人最令我們震驚。她是醫院裡最年輕的女人。奧加只有五十八歲。過去八年，她一直一個人留她房間裡拒絕起床。因爲她深愛的丈夫去世了，她也不想活。這個女人曾是一個醫生，八年前曾企圖跳火車自殺，火車輾斷了她的兩條腿。

當我看著這個喪失許多東西，走過地獄之門的婦人時，我克制自己的悲傷和同情，跪下來親吻和觸摸她的雙腿。好像有一股冥冥中的巨大力量叫我這麼做。當我如此做時，對她說的是英文。不久我發現，她的確知道我在說什麼。

但這無關緊要，因爲我幾乎記不得我說了什麼。總之是與她的痛苦和她的失落有關的感覺，並鼓勵她使用她的經驗，在未來更慈悲的幫助她的病人。在這個大轉變的時刻，她的國家比以前更需要她。因爲她的國家千瘡百孔，所以她必須回到現實生活來。

我告訴她，她使我想起一個受傷的天使，而在希臘話裡，天使叫angelos，意謂「愛的傳遞者，上帝的僕人。」我也提醒她，天使沒腿也能飛。十五分鐘之後，房間裡的每個人都哽咽了。我抬頭看到奧加叫人拿輪椅來，臉頰泛紅，八年來她第一次決定離開床上。

史坦・戴爾

他是我爸爸

以下這封信被放在一家大型教學醫院一個門診部門。雖然作者不明，但它的內容卻值得所有從事健康醫療的人借鏡。

給這個機構的每一個人員：

當你今天拿起病歷表、翻閱醫療綠卡時，我希望你會記得我要告訴你的話。

昨天我在這兒，和我的父母一起。我們並不知道我們該何去何從，因爲從前我們沒有接受過你們的服務。我們從沒有被蓋過「免費」這樣的戳記。

昨天我看著我的父親變成一個病症、一張病歷表、一個問診病號、一個被標示「沒有出資者」的免費病人，因爲他沒有健康保險。

我看見一個虛弱的人在排隊，等了五個小時，被一個充滿不耐煩的辦公人員、焦頭爛額的護理人員、缺乏預算的機構隨意搪塞應付，使他連一點尊嚴與驕傲都蕩然無存。我對貴機構人員的沒有人性深感訝異。當病患沒有按照該正

確形式時你們任意咆哮痛罵，在無關的人面前隨便談論其他病患的問題，談論在中午吃飯時如何逃出這「窮人的地獄」。

我爸爸只是一張綠卡，只是某指定日期在你桌上出現的一個檔案號碼，一個在你機械化的給予指示後會再問一次的人。但，不是這樣的，那眞的不是我的父親。那只是你看到的。

你沒看到的是，從十四歲以後就自己經營家具製造業的人。他有個很棒的妻子，四個長大成人的孩子（常常碰面），四個孫子（這有兩個快要出生了）——他們都認爲他們的「老爸」是最棒的。爸爸該具備的，這個男人都具備了——強壯、穩當，但很溫柔；他不修邊幅，是個鄉下人，被卓越的同業所尊敬。

他是我爸，不辭辛苦的養育我成人，在我當新娘時才讓我離家，在孩子們出生時擁抱我的小孩，當我日子難過時把二十元塞進我的口袋，在我哭的時候安慰我。現在卻有人告訴我們，不久之後癌症會把他的生命帶走。

你可能會說，這些話是一個悲哀的女兒在預知會失去所愛的人時無助的申斥。我不同意。但我希望你不要把我的話打折扣。不要看不見病歷表後面的那個人。每張病歷表都代表一個人——有感情、有歷史、有生命的人——在這一

天中，你有權力以你的話語和行動去接觸他。明天，你所愛的人——你的親戚或鄰居——也可能變成一個病歷號碼、一張醫療綠卡、一個像今天一樣被蓋上土黃戳記的名字。

我祈求你能以仁慈的話語和微笑迎接你工作崗位上的下一個人，因爲他可能是某人的父親、丈夫、妻子、母親、兒子或女兒——或只因爲他是一個人，被上帝所創造且被上帝所愛，就跟你一樣。

作者佚名

由荷莉·克雷斯威爾提供

善有善報

當我在俄亥俄州、哥倫比亞當DJ時，回家的路上我常常到大學醫院或格蘭醫院去。我會沿著長廊走到不同人的病房，爲他們讀聖經且和他們說話。那是一種讓我忘記自身問題的方法，也表示了我對上帝賜給我健康的感激。對我拜訪的人而言那有很大的作用。有一次它甚至救了我的命。

我在收音機中非常好議論。我在一次評論中得罪了一位主辦人，因爲他帶了一群不屬於某特別團體原組成人員的表演藝人到城裡來表演。揭發了這件事後，他竟叫人來找我算帳！

有個夜裡，我剛結束在夜總會中的主持工作，在凌晨兩點回到家。正在打開門時，有個男人從我房子的後方走來，問：「你是雷斯・布朗嗎？」

我說：「是的，先生。」

他說：「我必須跟你談談。有人叫我來這兒，教訓你一下。」

「我？爲什麼？」我問。

他說：「是這樣的。有位主辦人對你所說的到城裡來的那個團體不是眞的那個團體讓他損失不少錢，感到很困擾。」

「你會對我做什麼嗎？」我問。

他說：「不。」我沒問他爲什麼，因爲我不要讓他改變他的心意！我只是很高興！

他繼續說：「我的母親住在格蘭醫院時曾寫信給我，說有一天你走進去坐在她身旁，跟她說話，並且讀聖經給她聽。她印象很深刻，那天早上你這位DJ不認識她卻走進來爲她做這些事。我在俄亥俄監獄時，她寫信給我，把你所做的事告訴我。我很感動，一直想來見你。當我聽到有人想要扁你時，」他說，「我說我管定了這檔事，然後叫他們離你遠一點。」

雷斯·布朗

兩塊錢紙鈔

從華盛頓特區旅行回來，我在五月中一個星期一凌晨二時抵達安克拉治。早上九點，我得依約前往當地一個高中對學生講課，這個課程是爲將懷孕的少女和問題少年留在學校中而設計的。

這個學校戒備森嚴，因爲裡面的孩子多是犯過法的搗蛋鬼。我發現我很難讓這群各色人種都有的孩子安靜下來，談論對他們未來有助益的事。我漫無頭緒，直到我談到我如何成功的用錢幫助人。

我拿出一袋兩塊美元的紙鈔，開始分發給他們。他們紛紛來取走鈔票。這些孩子開始覺醒，因爲這是「免費」的錢。在他們拿了錢後，我惟一要求他們做的事是別把錢花在自己身上。我告訴他們，他們每個人身體中都有還沒出生的孩子。也許，如果世界上有任何事物能幫助他們向前走，那必定是有人給予足夠的關懷。

有些孩子要我爲他們簽名，有些沒有。我想我的誠懇感動了一些孩子。我開

始以一本我寫的書交換這些紙幣。這持續了五、六分鐘，然後我告訴他們我祖父的故事及他的做法，他曾經鼓勵我向前走。我告訴他們，無論發生了什麼事，要記住，不管是老師或他們自己，必有人眞正的關懷他們，並使他們邁向成功。

這不是故事的結局。當我離開教室後，我告訴他們，如果他們有任何問題或有了麻煩，可以打電話給我。我不保證我幫得上忙，但我很希望能傾聽，並想要在這世界上做點事。我還告訴他們，如果他們要我的書，可以打電話到我辦公室。我很樂意送他們一本。

三天後，我在信箱中收到縐成一團的一封信。那是一個聽我演講的女孩寫的——

親愛的佛洛伊德：

謝謝你抽空到我們班上來演講。謝謝你給我這張嶄新的兩元紙鈔。我會永遠珍惜它，而且我已經把我的小孩的名字寫在上面，絕不會把錢花在其它地方，除非是她想要或買她需要的東西。我寫信給你是因爲，你到我們班上講話那天

早晨，我做了一個決定。我清理了書桌，付清我欠學校的每一塊錢，而且決定帶走我自己和我未出生的孩子的生命，因爲沒有人在乎。當你説這故事時，我的眼裡充滿了淚水，感覺有人拉你，生命還不該終止。於是我或許還會多撐一會兒，因爲有像你這樣的人關心像我這樣的人，甚至還是陌生人。謝謝你的關心。

佛洛伊德 L·許蘭斯基

絶對的奉獻

琳達·柏提希完全獻出了她自己。琳達是個傑出的教師，但她感覺，如果她有時間的話，她寧願去創造偉大的藝術和詩篇。在她二十八歲那年，她開始有嚴重的頭痛現象。她的醫生發現，她有個巨大的腦瘤。他們告訴她，手術後存活的機會只有百分之二。所以，他們沒有立刻幫她開刀，先等六個月再說。

她知道她相當有藝術天賦。所以在這六個月中她狂熱地畫、狂熱地寫。除了某一篇以外，她所有的詩篇都在雜誌上刊出來。她的畫作也都被放在頂尖的藝廊中展售，除了某一幅以外。

在六個月結束時，她動了手術。手術前一夜，她決定完成捐獻自己。她簽了「我願意」的聲明，如果死了，她就捐出她身體的每一個部分給比她更需要它們的人。

不幸的，琳達的手術奪走了她的生命。結果，她的眼睛被送到利蘭州貝瑟絲達的眼角膜銀行給南加州的一個領受者。一個年輕人，二十八歲，從黑暗中見

到了光明。這個年輕人深深的感恩，寫信給眼角膜銀行致謝。雖然已經捐出了三萬個眼角膜，這是這個眼角膜銀行所接到的第二個「謝謝你」！

進一步的，他說他要感謝捐獻者的父母。孩子願意捐出眼睛，他們也定是好人。有人把柏提希的家告訴他，他於是決定飛到史代登島去看他們。他來時並沒有預先通知，按了門鈴，自我介紹以後，柏提希太太過來擁抱他。她說：「年輕人，如果你沒什麼地方要去，我丈夫和我會很高興與你共度周末。」

他留了下來，當他環視琳達的房間時，他看見她讀過了柏拉圖；他曾用盲人點字法讀過柏拉圖。她讀了黑格爾；他也用盲人點字法讀過黑格爾。

第二天早上，柏提希太太看著他說：「你知道嗎？我很確定我曾在哪兒看過你，但不知道是在哪裡。」忽然間她記起來了。她跑上樓，拿出琳達最後畫的那幅畫。它是她的理想男人畫像。

畫中人和接受琳達眼睛的男人十分相似。

然後，她的母親唸了琳達在她臨終的床上寫的最後一首詩。它寫道：

兩顆心在黑暗中行過
墜入愛中
永遠無法獲得彼此的目光愛顧。

傑克・坎菲爾
馬克・韓森

卷二　給爲人父母

孩子不會因你們供應的物質而記得你，
他們會因你珍愛他們的感覺將你牢記。

李查・L・伊凡斯

如果我能再次養大我的孩子

如果我能再次養大我的小孩子，
我會先建立自尊，再決定蓋房子。
我會多用手指來畫圖，少用手指來指。
我會少教訓多溝通。
我會少用眼睛看錶，多用眼睛看世界。
我會注意少知道一點，但知道多關心一些。
我不再扮演嚴肅的角色，且認眞的玩。
我會跑到更多的原野看更多的星星。
多擁抱，少拉扯。
我會經常看長著橡實的橡樹。
我不會那麼固執，會更加堅定。
我不再追求對權力的愛，

我會效法愛的力量。

黛安 倫曼斯

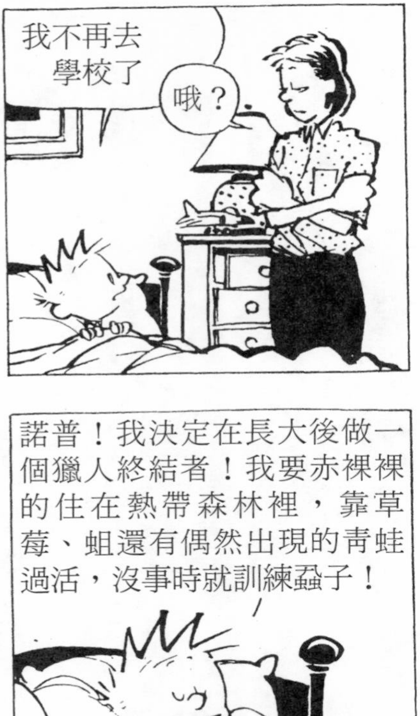
我不再去學校了
哦？
諾普！我決定在長大後做一個獵人終結者！我要赤裸裸的住在熱帶森林裡，靠草莓、蛆還有偶然出現的青蛙過活，沒事時就訓練蝨子！
專家都說，鎮壓孩子野心的父母是壞父母。

記住，我們在養小孩，不是在養花！

大衛—我的隔壁鄰居—有兩個小孩，一個五歲，一個七歲。有一天他正在教他七歲的孩子凱利怎樣使用瓦斯驅動的剪草機剪草。當他正教他如何在盡頭將除草機掉頭時，他的妻子，姜，叫他去問事情。當大衛轉身回答問題時，凱利把剪草機推到草坪邊的花圃上—所過之處，大約二尺寬的一條痕跡已夷爲平地！

大衛轉頭發現發生的事之後，他開始失控了。大衛花了一大把時間費力的做出那些令鄰居們羨慕的花圃。當他開始對兒子提高音量後，姜很快的走到他身邊，把手放在他的肩膀上，說：「大衛，請記住——我們在養小孩，不是在養花！」

姜提醒了我，爲人父母必須明瞭孰重孰輕。孩子以及他們的自尊比他所破壞的任何物質上的東西還要重要。被棒球砸碎的窗戶、被孩子不小心碰倒的燈及掉在廚房裡的碟子都已經破了，花也已經死了。我必須記得不要打破一個孩子

的心靈，使他們生龍活虎的感覺僵死，再增添更大的損失。

．．．．．．．．．

幾個禮拜以前，我買了一件運動外套，並和店主馬克．麥克斯討論爲人父母的問題。他告訴我，當他和他的妻子以及七歲大的女兒出外晚餐時，他的女兒打翻了水杯。這對父母在水漬擦乾淨後並沒有責備女兒。她抬頭看著他們說：「你們知道，我眞的很感謝你們不像別的父母一樣。我大部分朋友的父母會對他們咆哮並且教訓他們要更小心一點。謝謝你們沒有那樣做！」

有一次，我和一些朋友共進晚餐，相似的事件發生了。他們五歲的兒子弄倒了桌上的牛奶杯。當他們開始責備他時，我也故意弄倒我的杯子。當我開始解釋我在四十八歲還會弄倒東西時，男孩開始微笑了，而他的雙親似乎也明白了意思，不再生氣。我們多麼容易忘記我們仍然在學習啊！

．．．．．．．．．

最近我聽到一個有關史蒂芬·葛雷的故事。他是個曾經有過幾個重要的醫學突破的研究科學家。有個報社記者採訪他，爲什麼他會比一般人來得有創造力。是什麼因素讓他超乎凡人？

他回答，在他看來，這都與他兩歲時他母親給他的經驗有關。

有一次他嚐試著從冰箱裡拿一瓶牛奶，但瓶子很滑，他失手讓瓶子掉在地上，潑得滿地都是——像一片牛奶海洋一樣！

他的母親到廚房來，並沒有對他大呼小叫、教訓他或懲罰他，她說：「哇，你製造的混亂還眞棒！我幾乎沒看過這麼大的奶水坑。反正損害已經造成了，在我們清理它以前你要不要在牛奶中玩幾分鐘？」

他的確這麼做了。幾分鐘後，他的母親說：「你知道，每次當你製造這樣的混亂時，最後你還是得把它淸乾淨，讓物歸原處。所以，你想這麼做嗎？我們可以用一塊海棉、一條毛巾或一支拖把。你喜歡哪一種？」他選了海棉，於是他們一起清理打翻了的牛奶。

他的母親又說：「你知道，我們在如何有效的用兩隻小手拿大牛奶瓶上已經

做了個失敗的實驗。讓我們到後院去，把瓶子裝滿水，看看你是否可以拿得動它。」小男孩學到了，如果他用雙手抓住瓶子上端接近瓶嘴的地方，他就可以拿住它不會掉。這堂課眞棒！

這個知名的科學家說，那一刻他知道他不需要害怕錯誤。除此之外，他還學到，錯誤只是學習新東西的機會，科學實驗也是如此。即使實驗失敗，我們還是會從中學到有價值的東西。

如果每個人的父母都跟他母親的反應一樣，那不是很好嗎？

．．．．．．．．

幾年前保羅．哈威曾經在收音機上說過一個在成人關係上也適用的故事。有個年輕女人下班後開車回家發生了碰撞，撞壞了擋泥板。她在說明那輛車是出廠才幾天的新車時邊說邊掉淚。她回家怎麼向丈夫解釋呢？

另一輛車的駕駛充滿同情心，但他也表示他們必須記下彼此的駕照和車牌號碼。當這年輕女人從大大的棕色信封中取出文件時，有張紙條跑了出來。上

面，男人的筆跡寫著：「如果出了事……記得，親愛的，我愛的是你，不是車！」

………

且讓我們記得，孩子的心靈比任何物質還要重要。當我們這麼記得，自尊和愛的花朵就會開得比花圃中的任何花更美麗！

傑克．坎菲爾

淘氣的阿丹（凱特桑　繪）

如果你教育我的方式是對的，
那我怎麼會惹這麼多麻煩？

他只是個小男孩

他站在本壘板上，
心跳得好快。
已經滿壘了。
關鍵的一球已經投出。
爸媽幫不上忙，
他只能孤單的站著，
這時只要一支安打，
就可以送隊友回本壘。
球到了本壘，
他揮棒落空。
觀眾們發出吼叫，
有責怪聲有噓聲。

有個不假思索的聲音大喊：
「眞該打屁股！」
淚水充滿他的眼。
這個遊戲再也不好玩。
打開你的心，讓他喘口氣。
因爲碰到這樣的時刻，
你這個大人只能這麼做。
請記在心裡，
當你聽到有人忘記。
他只是一個小男孩，還不是一個大人。

鮑伯·福克斯牧師

但你沒有

有一天我看著你微笑
我說「我愛你」並等著你說話
我以爲你看見了我
我以爲你會聽見　但你沒有
我要你到外頭來和我玩球
我想你會聽我的　但你沒有
我畫了一張圖要給你看
我想你會保存它　但你沒有
我在樹林後頭做了一個堡壘
我想你會跟我在那兒露營　但你沒有
我發現了一些毛蟲可以一起去釣魚
我想你會去　但你沒有

我需要和你聊聊　分享我的想法
我想你願意　但你沒有
我告訴你一些我希望你一起參加的遊戲
我想你一定會來　但你沒有
我要求你和我共享我的青春時光
我以爲你會　但你不能
我的國家要我參戰　你要我平安返家
但我沒有

史坦·蓋柏哈特

畢業、傳承和其他課程

「能將一九七八年德瑞克大學畢業班介紹到您面前是我最大的榮幸。這些學生已成功的完成他們的大學學業：麥可M．亞當斯；恭喜，麥可。瑪格麗特L．艾倫；恭喜，瑪格麗特。」

他眞是天殺的驢蛋！他哪能感受我急切想進大學的痛苦？他怎麼會有這樣的念頭「如果這很有意義，你就該自己實現它」？眞該死！

「約翰C．愛迪生；恭喜，約翰。貝蒂丁……」

總有一天他會看見我自己完成了它，他將會因不曾參與感到懊惱，他會因沒支援我這樣做而悔恨難當——大一生，大二生，大三生，大四生……一個大學畢業生。

「……伯利斯。恭喜……」

是的。我做到了。我通過了朦朧未知的廣大領土和繁文縟節的多重障礙。大學——一個考驗你有多少忍耐力的測試！苦難的四年過去了，榮譽的羊皮畢業

證書屬於我。卷軸上有我的名字，證明它屬於我。謝謝爸！我一直渴望你支持我，以我爲榮，認爲我是個特別的人物，眞的與衆不同。

所有你在孩提時教訓我的，完成任何你心之所欲的事到底怎麼了？那些學說、目標、工作倫理和主張到哪兒去？在這一路你可曾展露父親的關懷？是什麼事如此重要，使你無法像其他所有父母一樣在「親子日」到學校？

現在，就是一個你沒出現的畢業典禮。你有比這更重要的事嗎？爲什麼你不能抽出一天來看你的女兒——在她生命中的重要時刻？

「恭喜，貝蒂。」

我在幾千人的人海中尋找他的眼睛卻失望了。他根本不在。我的大學畢業日和我父母的第六個小孩生日和這個鄉下大家庭的諸多雜事同一天，他怎會認爲這天與平常的日子沒有什麼不同？

「爬上每一座高山。涉過每一條急流。」我們畢業班選的這首歌似乎相當陳腔爛調。聽來很痛苦。

「追隨每一道彩虹……直到你找到你的夢。」

那天兩個畢業班的一百個畢業生排隊上台。我相信他們每個人的父母都擠在

人群中。當每個畢業生拿到畢業證書後，我們班會開始排長隊，離開大禮堂，準備將滿是汗水的袍子和胸花脫掉，急著去參加晚宴和家庭畢業宴會。我感到如此孤獨、沮喪和憤怒。我早把兩張，不只一張的邀請卡寄給爸爸。並不是我非要他到這兒來不可，而是我需要他。我需要他見證到完成了非常特別的事，他所鼓勵我的所有夢想、野心和目標的結果。他難道不知道他的支持對我有多重要?你是認眞的嗎?爸，還是只是說說而已?

「爸，你來了，對不對?我的意思是，一個人一生能從大學畢業幾次呢?」我對自己說。

「我們會去看是否得下田，」他曾說。「如果那是個適合播種的日子，有點雨水，我們絕不能錯過。今年春天我們已經錯過了很多天。播種日現在很難找。如果下了雨，我們就一定要做工。別念著我們。你知道我們要開兩個小時車才能到那兒。」

我確定心懸著他們。那是我最在意的事。

「爬上每一座高山，涉過每一條……」父母、祖父母和親友們都對著他們的新畢業生微笑，客氣的請別人別擋路好捕捉珍貴鏡頭，爲他們身爲畢業生的母

親、父親、祖父母、兄弟、姊妹、姑媽、伯叔而感到驕傲。他們流著快樂的淚水，而我強忍著不流下來的卻是極端失望與挫折的眼淚。

不只因爲我覺得孤獨——我確實孤獨。

「追隨每一道彩虹……」

從我和大學校長握手接過畢業證書—我通往未來世界的車票之後，我走了二十七步。

「貝蒂。」一個溫柔的聲音焦急的喚著我，把我從令人窒息的沮喪中拉拔出來。這個溫柔的聲音來自我爸爸，從成千群眾鼓噪、吼叫的巨大噪音中穿出。在爲零星畢業生所準備的座位的盡頭，坐著我的父親。他比伴我成長的那個粗獷而聲音如雷的男人看來渺小而內斂。他的眼睛紅紅的，巨大的淚珠從他雙頰上流下，掉在嶄新的藍色西裝上。他微微低著頭，他的臉上寫著千言萬語。他看來如此謙卑，他充滿著父親的驕傲。之前我只看過一次他哭的樣子，但這一次他的淚珠更大更晶瑩。我看見一個有男子氣慨且驕傲的男人——我的父親—流著淚，使我盛裝淚水的水壩也決了堤。

忽然間，他站了起來。我無法控制情感，做了件在熱情的時刻會做的事—我

把畢業證書丟到他手中。

「這兒，是給你的。」我以充滿了愛、報復、渴望、感謝與驕傲的聲音說。

「這是給妳的。」他只以包含溫柔與愛的聲音回應。他的手很快的伸進外衣口袋，拿出一個信封。他揮動巨手以笨拙的姿勢丟給我。他這麼做，淚水又流了滿頰，這是我經歷過的最長、最強烈也最充滿感情的十秒鐘。

典禮繼續進行。我心思斡旋企圖把今天的事件拼在一起——他在兩個小時的開車途中想什麼？這所大學難不難找？他如何躲躲閃閃混進畢業生中，坐在比家長席還前十排的位子上?!

我爸來了！這是這個春天最美麗的日子之一——一個完美的播種日。還有那套新衣服！就我所記得，他曾爲賓叔叔的葬禮買過新衣服。又十年後，他爲我姊姊的婚禮買了新衣。一套對農夫而言派不上用場的衣服，除此之外，新衣服表示他絕不是到一個不想去的地方！買套新衣服必是爲了一個重要場合。他就在那兒—我的爸爸。

「……直到你找到你的夢。」

我看了那封被我緊緊握成一團的信封。從前我從沒有收過爸的卡片或紙條。

我的想像力馳騁著，想著它可能有的內容。它是卡片嗎？……有他簽名的卡片？要柏利斯簽名的機會少得幾乎沒有。每個人都知道這個人的一次握手要比其他人的簽名來得可靠。柏利斯一言既出，就表示絕不變卦。沒有一個銀行家會拒絕這位曾在第二次世界大戰出過兩次任務的人，他的人生是因良好的工作倫理、堅毅的性格，以及他身旁一位美麗且忠貞的女人大膽開始奠下根基。他有一群孩子和對擁有土地的夢想。也許它是畢業課程的另一章。也許我將畢業證書丟給他使我和他都慌了手腳，他只好隨便給我一個東西交換。它會是邀請柏利斯家人集合慶祝今天的邀請嗎？因爲害怕失望，也想品嚐各種可能性，我在到更衣室前並沒有打開它。我脫掉帽子與長袍，但仍緊緊握著這封信。

「看看我爸媽送我的畢業禮物！」瑪莎舉起手展示她的珍珠項鍊給每個人看。

「我家老頭給我一輛車！」陶德的聲音穿過整個房間。

「眞好！我跟以前一樣什麼也沒有！」有個聲音不知從哪兒來。

「唉，我也是！」另外一個附和。

「貝蒂，你從你爸媽那兒得到什麼？」房間的對角，我的大學室友這麼問。

我這樣回答似乎不太適當：「這是世界上最棒的人給我的，另外一堂不可思

議的課程，太珍貴了以致於不能和你們分享。」所以我轉身假裝沒聽見。我把畢業袍摺好，放進袋子裡，腦海中還思索著我父親的所作所爲。

想起父親的眼淚，我的眼睛便充滿了淚水。他到底是來了。我對他很重要。不是這樣，就是媽打贏了這一仗！我慢慢打開信封，小心翼翼的不讓淚水沾溼了父親給我的紀念物——

親愛的貝蒂：

我想妳記得當我很小的時候，我的家庭失去家傳農田的事。我的母親幾乎獨力撫養六個小孩。那是一段艱苦的時間。在我家的家傳農場因我們而被賣掉的那天起，我發誓有一天我會擁有土地，我所有的孩子在那塊土地上會有繼承的東西。他們會被好好地保護著。不管他們住在世界的哪一個地方，有什麼樣的命運，伯利斯家永遠歡迎他們回來。我的孩子永遠會有一個家。下面的那張紙就是屬於妳的農地的地契。妳永遠不必付稅。它是妳的。

當我看妳上大學時，妳可以想像我感到多麼驕傲，並且期待有一天你會完成學業。妳不會眞的了解當我無法增加家庭收入而供應你上大學時多麼無助。那

時，我不知道怎樣告訴妳才不會摧毀妳對我的信任。但這絕不是因爲我不重視妳做的事，也不是我對妳努力實現夢想的辛苦不認同。雖然我一直沒有照妳喜歡的方式爲妳做事，但我的腦海裡一直想著妳。我總是留意著你——即使在遠方。對妳來說，我似乎對妳的困難無動於衷，讓妳獨自應付，但不是的。我必須努力應付一個成長中的家庭，並實現一個我不能丟棄的夢想，因爲它對我太重要了——就是讓你們都從我這兒得到繼承的東西。

我常常爲妳祈禱。妳可知道，親愛的女兒。妳在困境中向前走的堅強與能力，也是讓我在繼續爲夢想努力，在各種困難和考驗中向前走的動力——並且使它們很值得。妳瞧，妳是我的英雄，勇者的模範，是勇氣與膽識。

有時妳放假回家時我們會在農場散步、談天，我一直想告訴妳，讓妳不對我喪失信心。我需要妳相信我。但每次我看到那些從妳的年輕與驕傲中放射出的無限光芒，並傾聽妳決定完成使命的決心時，我就知道妳會很好。我知道不只妳能做，妳一定會做到。而且，今天我們兩人都擁有一張象徵完成夢想的證書，肯定我們朝向高貴目標的艱辛勞苦。貝蒂，今天我爲妳感到非常驕傲。

貝蒂　B·楊斯

我爸，當我……

四歲：我爸無所不能。
五歲：我爸什麼都知道。
六歲：我爸比你爸聰明。
八歲：我爸並不是無所不知。
十歲：我爸長大的那個年代跟我們非常不一樣。
十二歲：哦，好吧！自然的，爸對這件事毫無所知。他太老了，所以記不得他的童年。
十四歲：別太在意我爸。他是個老古板！
二十一歲：他？我的天，他的落伍實在無可救藥！
二十五歲：爸對我所知甚少，但他在我旁邊這麼久，他實在應該知道。
三十歲：也許我們該問問老爸怎麼想？畢竟他經驗豐富。

三十五歲：除非我和老爸談過，否則我不做任何事。

四十歲：我懷疑爸是怎麼處理這件事的。他如此有智慧，又有一整個世界的經驗。

五十歲：如果爸還能在這兒讓我跟他討論事情，我願意付出一切代價。我不能欣賞他的聰明眞是再糟不過的事。我本來可以向他學到很多的。

安・蘭德斯

淘氣的阿丹　（凱特桑　繪）

「你相信自己嗎？」

聖誕老人的精神不穿紅衣

我無精打采的坐在老龐帝亞克後座，因爲一個四年級的學生坐在這兒是應當的。我爸開車到城裡購物，我跟著去。至少我告訴他了——我確實有個在我心中盤旋了幾個禮拜的問題想問他，這也是我第一次沒有馬上向他公開的心事。

「爸……」我開口，又停住了。

「啊？」他說。

「我們學校學生說了一些事情，我知道不是眞的。」我感覺自己的下嘴唇因爲想忍住我右眼角內的淚水而顫抖——它總是頭一個掉眼淚。

「怎麼了，小鬼？」我知道他心情很好，因爲他用這個暱稱來稱呼我。

「他們說沒有聖誕老公公。」我忍耐著，但一滴眼淚掉了下來。「他們說我再相信聖誕老人就是笨蛋……它只是用來騙小孩的。」我的左眼眶又有了一滴眼淚。

「可是我相信你告訴我的。聖誕老人是眞的。是眞的，對不對，爹地？」

那時我們正開在耐威爾大道上，當時它是一條兩旁有橡樹的雙線道。我問這個問題時，他看了我的臉和整個人的姿勢一眼，他把車開到路邊停下來。爸關掉引擎並把身子移向我，一個縮在角落裡的小女孩。

「學校裡的那些學生錯了，佩蒂。聖誕老人是眞人。」

「我就知道！」我如釋重負的喘口氣。

「但我還要告訴你更多有關聖誕老人的事。我想妳已經大到可以了解我要跟妳分享的事了。妳準備好了嗎？」我爸的眼神很親切，表情很柔和。我知道他有大事要說，而我已經準備好要聽了，因爲我完全信任他。他絕不會對我說謊。

「從前有個眞正的人，他到處旅行，把禮物送給應得的孩子。在每個地方你都會發現他不同的名字，但他心中想的事用任何語言來說都是一樣的。在北美，我們叫他聖誕老人。他代表無限的愛，以及用眞心的禮物分享愛心的欲望。當你到了某種年紀，你會了解到眞正的聖誕老公公不是聖誕夜從你煙囪上下來的傢伙。這個神奇精靈的眞正生命與精神永遠存在妳心中、我心中、媽媽心中和爲人帶來歡樂的每個人心中。聖誕老人的眞正精神在於妳給予什麼而不在妳得到什麼。只要妳了解而且讓它變成妳的一部分，聖誕節會變得更令人興奮、更

神奇，因爲妳已了解魔術來自於你，聖誕老人住在妳心中。妳了解我在告訴妳什麼嗎？」

我專注的望著我們前面車窗前的樹。我不敢看我爸——這個一直告訴我聖誕老人眞正存在的人。我想要像去年一樣深信不疑——聖誕老人是個穿紅衣的胖精靈。我不想吞下長大的藥丸，發現事情都跟從前不一樣。

「佩蒂，看著我。」我爸等待著。我把頭轉過去看著他。

爸的眼中也有淚水—那是快樂的眼淚。他的臉上閃爍著一千條銀河的光芒，他的眼睛看來就像聖誕老人的眼睛。眞正的聖誕老人。從我來到這個星球之後的每個聖誕節都是他爲我費時選擇特別的禮物。他吃了我小心翼翼裝飾好的餅乾，喝了溫牛奶。這個聖誕老人或許吃了我留給馴鹿魯道夫的蘿蔔。這個聖誕老人——雖然他曾說他沒有機械才能—卻在聖誕節早上短短時間內組合了腳踏車、小貨車和其他雜物。

我明白了。我明白了歡樂、分享和愛。我爸把我拉進他懷裡給我一個溫暖的擁抱，在那看似最寂寞的時刻抱住我。我們兩人都哭了。

「現在妳屬於一個特殊團體，」爸繼續說：「妳從此後會分享聖誕節的歡樂，

在每一年的每一天，不只在某個特定的節日。從現在起，聖誕老人會住在妳心中，就像他住在我心中一樣。當聖誕老人住在妳的內心，實踐給予的精神就是妳的責任。這是妳一生中會發生的最重要的事，因為現在妳知道，聖誕老人沒有像妳我這樣的人讓他活著，他就不會存在。妳認為妳可以應付得來嗎？」

我因驕傲而心滿意足，我也確信我的眼睛閃爍著驚奇的目光。「當然，爸。我要讓他在我心中，就像他在你心中一樣。我愛你，爸。你是全世界最好的聖誕老人。」若我生命中有機會把聖誕老人的事實告訴我孩子的時刻到來，我會為聖誕精神祈禱，希望我像我學到聖誕老人不必穿紅衣服的精神時的父親一樣，把它說得動人心弦且活靈活現。我也希望他們能和當時的我一樣領受。我完全信任他們，且我想他們會如此。

帕蒂．漢森

改變我生命的小女人

當我第一次遇到她時，她四歲。她正拿了一碗湯來。她有美麗的金髮，肩上圍著粉紅色的披肩。那時二十九歲的我正爲流行性感冒所苦。我一點也不知道這個小女孩將會改變我的生命。

她的母親和我曾是多年好友。最後這樣的友誼變成關懷，由關懷到愛，到婚姻把我們三個人組成一個家庭。起初我害怕，因爲在我心靈深處，我認爲我會被貼上「繼父」的可怕標籤。繼父，不管從眞實面或虛構面來說，都是孩子與生父間的怪物和感情上的障礙物。

早先我非常努力的想由單身漢轉變成一個父親。我們結婚的一年半前，我住進離他們家不遠處的公寓。當我們有可能結婚時，我企圖花許多時間順利的讓我的朋友形象變成父親形象。我嘗試不要變成我未來的女兒和她生父間的一道牆。而且，我還渴望爲她的生活帶來特別的東西。

幾年過去了，我越來越欣賞她。她的誠實、可靠與坦白都超過她的年齡。我

知道，這個孩子心裡住著一個非常熱忱而有同情心的大人。而我還是生活在恐懼中，害怕有一天像我這種嚴守紀律的人當了她繼父，以後她會把我不是她眞實的父親這樣的話丟到我身上。如果我不是眞的，她怎麼會聽我的話？我的行爲變得拘謹了。我可能比我想做的寬大許多。我以討好她的方式表現自己，一直扮演我感覺應該扮演的角色——認爲我做得不夠好或不夠有價値。

在她騷動不安的青少年時期，我們似乎不由自主的在情感上疏遠了。我似乎失去了控制（至少是爲人父母幻想上的控制）。她在尋找自己的定位，我也是。我感到失落與憂傷，因爲我已經離一開始我們可以融洽爲一體的感覺很遠了。

她上了教會附屬學校，那兒有個高年級學生的年度集訓。很明顯的學生們認爲到集訓的地方去就像花一個禮拜的時間到地中海俱樂部去一樣。他們帶了他們的吉他和全套網球設備上了巴士。他們一點也不知道這個情感上的會晤可能會給他們一個難忘的印象。我們這些參與者的父母被要求要個別寫一封信給我們的孩子，坦誠的寫出我們關係中正面的東西。我寫的信是關於一個小小的金髮女孩在我需要照顧時爲我端湯來的事。在這個星期的課程中，學生們深深的

挖掘到他們眞實的存在。他們有機會讀到我們爲人父母爲他們準備的信。

父母們也會在這個星期中的某個晚上一起討論並把好的想法帶給孩子。她離開時，我注意到有一種長駐我心但因我不敢面對而未曾表露的感覺浮出表面。那就是我必須完全的做自己才是貨眞價實的我。我不必再做別人。如果我對自己眞誠，眞我才不會被忽略。我只想做最好的「我」。這對別人來說或許不重要，但卻是我生命中最大的啓示。

他們從養老院返家的那晚來臨了。來接他們的親友被要求早點到場，被邀請到一間燈光柔和的大房間去。只有房間前頭有燈亮著。

學生們開心的排隊進來，每個人的臉都髒髒的，好像從夏令營回來一樣，他們手牽手，唱著責任、愛與自信的新意義。

燈亮了，孩子們知道來接他們的親友也在這個房間裡和他們分享歡樂。學生們可以對上個星期的感想發表評論。剛開始他們不太情願的說一些「很酷」和「可怕的一個禮拜」之類的話，但過不久之後你開始看到學生們的眼睛綻放著眞實的活力。他們開始透露這個過去儀式的重要性。他們努力的上前用麥克風說話。我注意到我的女兒也渴望說些話。我也一樣急於想聽她要說的話。

我看見我的女兒堅定的走向麥克風。最後她到了最前頭。她說：「我過得很好，學了很多。」她繼續說：「我要說的是，我們有時把很多人、很多事視爲理所當然，其實不應該如此，我要說的是……我愛你，湯尼。」

那一刻我的膝蓋軟了。我從沒希望也從沒想到她會說出如此的心聲。在我周圍的人立刻過來擁抱我，拍我的背，好像他們也了解這句非凡的話對我的意義。一個少女在充滿了人的房間裡公開說「我愛你」是需要勇氣的。我正經驗著比任何衝擊更大的衝擊。

從那時候起我們的關係更融洽了。我已了解我不需害怕做一個繼父。我只需保證我自己還是多年前和那個小女孩—端著一碗充滿慈悲的湯—交換眞愛的人。

湯尼・魯納

第十排中間

當我在密西根州底特律的研討會結束後，有人過來對我自我介紹，並說：「朗恩先生，你打動了我。我決定完全改變我的人生。」

我說：「太棒了。」

他說：「將來你會聽到我的改變。」

我說：「我並不懷疑。」

肯定的，在幾個月後我又回底特律演講，同樣的人又走到我面前，說：「朗恩先生，你記得我嗎？」

我說：「我記得。你就是那個說要改變人生的人。」

「就是我！」他說：「我要告訴你一個故事。上次研討會結束後，我開始思考如何開始改變我的人生，我決定從家庭做起。我有兩個可愛的女兒——每個人都希望有的好小孩。她們從來不給我惹麻煩。可是，我總是讓她們受罪—特別是她們的少女時期。她們很喜歡到搖滾音樂會看她們最喜愛的表演者。我總是

刁難她們。她們問我可不可以去，而我總說：『不，音樂那麼大聲，妳們會變成聾子，不可以和那群亂七八糟的人鬼混。』」

「然後，她們會一再要求：『爸，我們很想去，不會給你惹麻煩。我們是好女孩，讓我們去吧！』」

「在她們苦苦哀求之後，我才會心不甘情不願的把錢給她們，說：『好吧！如果妳們一定要到那種鬼地方。』我決定從那兒改變我的生活。」他又說：「我這樣做了。不久前我聽到廣告說她們最喜歡的表演者要到我們城裡來。你猜我做了什麼？我到音樂廳買了票。之後，當我看到女兒時，我就把信封給了她們，說：『女兒們，妳們可能不相信—但這信封裡有你們聽搖滾樂的票。』」她們難以置信。我又告訴她們一件事。我說：『妳們不必哀求我了。』我的女兒們簡直不敢相信這是眞的。我要她們答應在去演唱會之前不要打開那個信封，她們同意了。演唱會那天，當女兒們到了那兒，打開信封，把票拿給服務員，服務員說：『跟我來。』當他把她們帶到前頭時，女兒們說：『等等，是不是錯了？』服務員說：『沒錯，跟著我。』最後她們到了第十排中間的位子。女兒們非常驚訝。那晚我決定晚點才睡，到了午夜她們果然聒噪的通過前間。一

個過來坐在我膝上，一個用手繞著我的脖子，她們兩個人都說：「爸，你一定是世界上有史以來最偉大的爸爸之一！」

這是一個多麼好的例子，以一點態度上的小改變，多一點心思，就可能過著美好的生活。

吉姆・朗恩

每年一信

在我的女兒茱莉安出生後不久，我和其他人（與我一起從事這特殊計劃的人）一樣施行愛的慣例。我要告訴你這個點子，不只要以我溫暖的故事打開你的心，也要鼓勵你在你家庭中實施這慣例。

每一年，她生日的那天，我會寫每年一信給我的女兒。我寫滿了那年內她發生的小故事、艱辛與歡樂、我人生中或她人生中的重要問題、世界大事、我對未來的展望、各種雜感等等。加上一些照片、禮物、報告卡等，可能會隨時光久遠而不見的，各種形式的紀念物品。

我在書桌的抽屜裡留下了一個紙夾，我把會寫在下一年的每年一信中的東西都放進去。每個禮拜，我都把這禮拜發生的事做簡單的筆記，以便寫每年一信時可以記憶。她生日快到時，我取出紙夾，發現它充滿了各種點子、想法、詩篇、卡片、寶藏、故事、事件和各式各樣的記憶——我如今已經忘了其中大部分——我熱切的將它們轉化成每年一信。

當信寫好了，所有的寶貝放進信封時，我就把信封起來。它就變成了這一年的每年一信。信封上，我總是寫著：「茱莉安的爸爸在她第N次生日時給她的每年一信——她二十一歲時可以打開。」

它是她生活中每一年不同的愛的時光膠囊。它是上一代給下一代的愛的禮物。它是她生命中永遠的記錄，記載著她的眞實生活。

我們的另一項慣例是，我會把封起來的信封給她看，告訴她二十一歲才能打開來讀。然後我會帶她到銀行，打開保險箱，把它放在漸漸增多的文件上頭。她有時會把它們都拿出來，看看它們，摸摸它們；有時會問我裡頭寫些什麼，而我總是拒絕透露。

這些年來，茱莉安給我一些她特別的童年寶藏，那些她太大而不能玩但又捨不得丟的東西。她要求我把它們放在週年信中，這樣她就可以永遠保有它們。

寫週年信的慣例現在變成我做父親的神聖責任之一。而且，茱莉安漸漸長大了，我可以看出它也是她人生中逐漸成長且特殊的一部分。

有一天，我們和朋友一起思考將來要做什麼。我不記得我確實說了什麼，大概是如此：我開玩笑的告訴茱莉安在她六十一歲生日那天，她會跟她的孩子一

起玩，又說她三十一歲生日那天會送她的孩子去練習曲棍球。遵循這個趣味遊戲的模式，我的幻想受到茱莉安樂在其中的樣子的鼓舞，又繼續說下去。在妳二十一歲生日時，妳會從大學畢業。

「不，」她打斷我，「我會忙於讀你的信！」

我最大的願望之一，就是能夠愉快的活到能享受打開時光膠囊的美妙時光，堆積如山的愛會從過去滾滾而來，回到我已成年的女兒的生活中。

雷蒙．L．阿隆

鬆垮的黃襯衫

那件鬆垮的黃襯衫有長長的袖子，前頭有四個滾黑邊的特大號口袋。不太好看，但絕對很實用。它是我在一九六三年當學院新鮮人時，在聖誕假期返家時發現的。

返家度假的部分樂趣是翻媽的雜物堆，那兒放著不值錢的東西。她經常性的把房子裡的衣物、床單和其他日用品清理掉，把這些收集品收在紙箱裡，放到前廳壁櫥裡。

有一天當我在檢查媽的收集品時，我看到這件超大號的黃襯衫，它因經年累月的被拿出來穿而有點舊了，但樣子還很好。

「這件很適合我在上藝術課時穿！」我對自己說。

「妳不是在翻老東西吧？」媽問。當她看見我拎出這件襯衫時，她說：「這是我在一九五四年懷你弟弟時穿的！」

「這很適合我穿去上藝術課。媽，謝謝！」我在她提出抗議前把它放進我的行

李箱中。

這件衣服變成我的大學服之一。我喜歡它。唸大學期間，它都在我身邊，在上那些會把人搞髒的課時穿著它總是很舒服。腋下的接縫在我畢業前就必須縫補了，但我還是穿了它很多次。

畢業後我搬到丹佛，搬進我的公寓那天我也穿著這件黃襯衫。在每個星期六早上我清理房子時也穿著它。前面的四個大口袋——兩個在胸前，兩個在與臀部同高的地方——是放抹布、臘和磨光粉最好的地方。

第二年，我結婚了。我懷孕時找到塞在抽屜裡的黃襯衫，並且穿著它度過大腹便便的日子。雖然我第一次懷孕期沒法和爸、媽及家人共度，我們在科羅拉多而他們在伊利諾州，但這件襯衫使我想起他們給我的溫暖和保護。當我想起媽也在懷孕時穿它，我微笑的緊握這件黃襯衫。

一九六九年，我女兒生下來以後，這件襯衫至少有十五歲了。那個聖誕節，我把這件襯衫洗過燙過後用禮物紙包好寄給媽媽。我邊笑邊寫了一張紙條塞在其中一只口袋裡，說：「我希望這適合妳。我很確定您穿了它看來一定很棒！」媽回信給我，感謝我送她「眞」的禮物，她說黃襯衫很可愛。她就沒再提起它

了。

第二年，我的丈夫、女兒和我從丹佛搬到聖路易去，我們在伊利諾州的石瀑布市我爸媽家停車，搬一些家具。幾天後，當我們把裝餐桌的條板箱拆開時，我注意到有黃色的東西貼在它的底部。就是這件襯衫！這個模式就建立了。我們再一次回家時，我偷偷的把黃襯衫放在爸媽床上床單與彈簧墊間。我不知道隔多久她才發現它，但差不多兩年後我又得到它了！

那時我們的家庭人員又成長了。

這次是媽來看我。她把它放在我們客廳的大燈上，她知道一個有三個小孩的媽媽，不可能每天打掃房子、移動大燈。

當我終於看到這件襯衫，我常穿著它修理那些我在廉價品大拍賣中發現的家具。襯衫上核桃大的污點更爲它的歷史寫下更多的角色。

不幸的，我們的生活也充滿了污點。

我的婚姻從一開始就走下坡。經過多次婚姻諮詢協調的嘗試後，我在一九七五年和丈夫離婚了。三個小孩和我準備搬到伊利諾州，離我家人和朋友的感情支持更近一些。

當我在打包時，深深的沮喪擄獲了我。我懷疑我是否能獨力撫養三個小孩。我懷疑我找不找得到工作。雖然我在念天主教學校時沒有讀太多聖經，我還是翻了聖經，尋找安慰。在以弗所書中我讀到了：「在敵人攻擊時用上帝的每一片盔甲去抗拒，事過之後你將會站起來。」

我企圖想像我穿著上帝的盔甲，但我看見的卻是穿著沾污的黃襯衫。當然！我母親的愛難道不是上帝的盔甲嗎？我微笑的憶起了這些年來黃襯衫所帶給我的愉快和溫暖的感覺。我的勇氣恢復了，未來看來不再那麼令人心驚！

搬到新家後感覺好多了，我知道我必須把襯衫還給媽。下一次我拜訪她時，我小心翼翼的把它塞在最下面的放冬衣的衣櫃，我知道穿毛衣的季節已經過去幾個月了。

之後我的生活變得光燦起來。我在一個廣播電台找到一分好差事，孩子們也都能和新環境打成一片。

一年後，在決定洗窗戶時，我在一個清潔櫃的破袋子裡找到這件黃襯衫。它已經被加一些新東西。胸前口袋的上頭被縫上鮮綠色的字做裝飾—「我屬於佩」。因為不想認輸，我拿出了我的刺繡工具加上了七個字：「它屬於佩的媽媽。」

有一次，我縫上鋸齒狀的線補起所有的破洞。然後我請我親愛的朋友，哈洛德，幫我把它還給媽。他安排了一位朋友從維吉尼亞州阿靈頓把襯衫寄給媽。我們還放了一封信，宣稱這是她因善行所得到的禮物。這封得獎信，被放在哈洛德當助理校長的那個學校的公文用信封內，上頭有「貧民救濟機構」的字樣。

這是我最得意的時刻。我眞想看看媽她打開「獎品」時看見裡頭的黃襯衫時的表情。但是，當然，她並未提及。

在第二年復活節那個星期天，媽帶來了她的「致命一擊」，她堂而皇之的到我們家來，在復活節的裝束外套著她的黃襯衫，好像那是她這套衣服的一部分。

我的嘴巴張得開開的，但什麼也沒說。在吃復活節大餐時，我忽然爆笑出來。我決定不要打破這件襯衫編織到我們生活中不可破的咒語。我相信媽會脫下襯衫，企圖把它藏在我家，但她和爸離開後，她走出門時仍穿著「我屬於佩的媽媽」的衣服，那件衣服似乎與她融爲一體。

一年後的一九七八年六月，哈洛德和我結婚了。我們的婚禮那天，我們把車

子藏在朋友的停車場以避免有人開例行玩笑。在婚後，當我的丈夫開車載我們到威斯康辛度蜜月時，我拿了車內的枕頭好靠著休息。這個枕頭塞得鼓鼓的，我打開套子發現了一個禮物，用婚禮的包裝紙裹著。

我以為那是哈洛德給我的驚奇。但他跟我一樣驚訝。盒子裡是那件新燙好的黃襯衫。

我的母親知道我需要那件襯衫，提醒我有愛調味的幽默感是快樂婚姻的重要元素。在口袋裡放著一張指示：「讀約翰福音書十四章二十七節到二十九節。我愛你們，媽。」

那個晚上我翻了旅館房間內的聖經，發現了這樣的詩篇：「我給你們一個禮物：頭腦與心靈的和平。我給你們的和平不像這世界上所謂的和平那樣不堪一擊。所以不要煩惱不要害怕。記得我告訴你們的：我走了，但我會再來到你們面前。如果你們眞的愛我，你們會為我感到快樂，因為現在我要回到天父那兒，祂比我偉大。在這些事發生前我已經把這些事告訴過你們，所以當它們發生時，你們會信我。」

這件襯衫是媽最後的禮物。

她在我們婚禮前三個月就知道她得了末期肌肉萎縮硬化症。十三個月後她去世了，享年五十七歲。我必須承認我很想讓這件黃襯衫和她一起進墳墓。但我很高興我沒那麼做，因爲它是一個鮮明的紀念，紀念她和我玩了十六年的愛的遊戲。

此外，我的大女兒現在已經上大學了，她讀的是藝術……每個藝術系學生都需要一件有大口袋的寬鬆黃襯衫好上藝術課程！

派翠西亞·羅倫茲

禮物

「爺爺，請來這邊吧！」我說，我知道他做不到。在滿是灰塵的廚房窗口透進來的蒼白光線中，他在有靠墊的塑膠椅子上坐得直直的，把厚重的手放在合成樹脂的桌子上，視線穿過我落在牆壁上。他是一個粗魯、暴躁的老式義大利鄉下人，有一連串在事實上和想像上都受到傷害的舊日記憶。當他想要生氣時，他就發出一聲咕嚕聲。現在他就給我一個咕嚕聲表示「不！」。

「來吧，爺爺。」我六歲的妹妹凱莉祈求。「我要你到這兒來。」她比我年輕二十一歲，是我們家中最晚來的閃亮成員。「我將會爲你做你最喜歡的餅乾。媽說她會教我怎麼做。」

「爲了感恩節，看在上帝的份上，」我說，「四年來你都沒有和我們一起吃晚餐。你不認爲現在是重新開始的時候了嗎？」

他瞪著我，藍眼睛中閃爍著把這個家庭震攝了多年同樣的憤怒之色。除了我以外。不管怎麼說，我曉得他。也許是因爲我分享他的孤獨勝於我對他承諾的

關注，我也和他一樣訥於展現情感。不論理由是什麼，我知道他心中的感覺。「父親的罪會降臨在他們的兒子身上」，有人這麼說，沒錯。許多痛苦的發生，是因為每個男人都在他還沒長大到可以決定要不要前就收到了錯誤的禮物——男子氣慨誤導的概念，外表堅強，內心無助。也因此這些年來間隔在祖父和我之間的距離已無法丈量。

凱莉繼續叨叨說著，企圖說服他，她並不知道成功的機會渺茫。

我站起身來走到窗邊，凝望他的後院。在冬天的光線中，亂蓬蓬的花園叢生著糾結的野草和藤蔓。從前祖父在那兒創造過奇蹟—那或許是他無能控制他本性的代替品。在祖母死後，他就讓花園自生自滅，對他自己更是如此。

從窗口轉身，我悲哀的打量著他。從他突出的下巴到他壯碩又粗糙的雙手，他的一切反映出他冷酷的一生：從十三歲開始工作，在經濟蕭條時期飽受失業的屈辱，在特雷頓採石場做了數十年的苦力。他的生活並不容易。

我吻了他的頰。「爺爺，我們現在該走了。如果你決定來我會載你。」

他像石像一樣的坐著，兩眼直瞪前頭，吸著他的老煙斗。

幾天後，凱莉向我要爺爺的住址。

「做什麼?」我問。

她將一張信紙整齊的摺好放進藍信封裡。「我要送他一個禮物。我自己做的。」

我把住址一個字一個字地告訴她，讓她寫下來。她寫得很慢，努力的把每個字母和數字都寫得整整齊齊。完成後，她放下鉛筆，堅定的說：「我要自己寄。你帶我到郵筒去好嗎?」

「待會兒，好嗎?」

「我要現在做嘛。拜託!」

我們這樣做了。

感恩節那天我被麵醬的好氣味叫醒。媽正在準備她特殊的晚餐，有義大利小餛飩、火雞、甘藍菜、甘薯、越曼橘醬等傳統義大利和美國菜的混合組合。

「我們只需要準備四個人的位置，凱莉。」我走進廚房時她這麼說。

凱莉搖頭：「不，媽咪，我們有五個人。爺爺會來。」

「噢，親愛的!」媽說。

「他會來，」我妹妹肯定的說，「我知道他會。」

「凱莉，別說了。他不會來，妳知道的。」我不想看到她這天的興致被失望擊垮。

「約翰，隨她去。」媽看著凱莉：「就多放一個人的餐具吧。」爸從客廳走進來。他站在門口，手插在口袋裡，看凱莉在擺設餐桌。

我們終於坐下來準備吃晚餐了。大家沈默了一晌，然後媽看著凱莉說：「我想我們可以開始了吧，凱莉？」

我妹妹看著門。然後低下了頭喃喃自語：「請保佑我們啊！上帝，和我們所要吃的食物。並請保佑祖父……幫忙他快點。謝謝上帝！」

我們互相瞄了一眼，在沈默中坐著，沒有人想以開始用餐來遮掩祖父缺席而使凱莉失望的事實。玄關的時鐘滴滴答答的響著。

忽然間好像有人敲了門。凱莉跳下椅子跑到玄關去。她飛快的打開門大叫：「爺爺！」

他穿著他僅有的發亮的黑西裝，站得直直的，一手把軟呢帽壓在胸前，一手晃著一個棕色的紙袋。

「我拿果汁來。」他拿著袋子這麼說。

幾個月之後，祖父在睡夢中靜靜的去世了。清理他的抽屜時，我發現了一個藍色信封，裡頭有一封摺好的信，上面是一幅孩子的畫——一張圍著五把椅子的餐桌。有一把椅子是空的，其他的椅子上貼著標示爲媽咪、爹地、約翰和凱莉的人。我們每個人身上都畫了一顆心，每一顆心的中間都有一個鋸狀的缺口。

約翰·卡特那奇

她記得

我媽是你能遇到的人中最體貼、最好心腸的那一種。她生性開朗而口齒清晰，願意爲別人做任何事。我們的關係很親密。但她的腦部因受到老年痴呆症的摧殘，意識也漸漸不清楚了。距今十年前她就這樣慢慢離開我們。對我來說，那是一種持續性的死亡，一種逐漸式的撒手和一個經常沈浸在悲哀中的過程。雖然她幾乎失去了照顧她自己的能力，她至少還認識她身邊的家人。但我知道連最後這個能力也將改變的那一天終究會來。兩年半前，那天眞的來臨了。

我的父母幾乎每天會來看我們，共享快樂時光，但忽然間我們失去了這樣的聯繫。我的母親不再認得我是她的女兒了。她會告訴我爸說：「噢，他們眞是好人！」我竟變成「好鄰居」中的一員。當我擁抱她說再見時，我會閉起眼睛想像她還是幾年前的那個媽媽。我會沈浸在三十六年來每一種貼心的感動中——她溫暖的身體、她的擁抱和她獨特的溫柔與甜蜜的氣味。

這種病並非是我難以應付與接受的。我正度過生命中最難熬的時光，特別感到需要母親。我爲我們倆祈禱，並在禱告中表明我是多麼需要她。

仲夏的某個下午，當我在準備晚餐時，我的禱告應驗了，我十分訝異。那時我的父母和丈夫正在外頭天井邊，我的母親忽然跳起來，像被閃電打中一樣。她跑到廚房，輕輕的從後頭抓我，讓我轉身來。她的眼睛中神智清明，似乎凌駕了時間和空間，淚光盈盈、充滿感情的問我，我是不是她的孩子？感動得難以自抑的我哭了，是的，是眞的。我們互相擁抱，不願讓這奇妙的時刻流走。她說她覺得我很親近，我是個好人，忽然間她就明白我是她的孩子。我們感到輕鬆且愉快。我感謝上帝給我這樣的禮物，不管它持續多久。我們被賜予了這種可怕疾病的緩刑，再次有了特殊的連結。她的眼中恢復了遺失許久的光芒。

雖然我母親的病況持續惡化，但從那甜蜜夏日下午之後一年她仍記得我是誰。她給我一個特別的表情與微笑，似乎在說：「我們正擁有一個別人不知道的秘密。」幾個月前當她在這兒時，我們還有一位客人。她揪著我的頭髮驕傲的告訴他：「你知道她是我的孩子嗎？」

麗莎・鮑伊

拯救

有個父母雙亡的小女孩和祖母住在一起，睡在樓上的臥室裡。有一天晚上房子著火了。祖母爲了救這個孩子而死。火勢迅速蔓延，整個樓上都陷入火海中。

鄰居們叫救火隊來，無助地在外頭站著，因爲火焰延燒到所有通道，根本就進不去。小女孩出現在樓上的窗戶中，哭喊救命，而人們卻聽到救火車會晚點才來的消息，因爲還有另一場火災。

忽然間，有個拿梯子的人出現了，把梯子靠著房子，消失在屋子裡頭。當他再出現時，手裡抱著小女孩，他把小孩交給下頭等待接應的手，就消失在黑暗中。

調查顯示這個孩子並沒有活著的親友。幾個星期後，人們決定在該鎭大廳舉行會議，決定誰可以把孩子帶回家養大。

有個老師說她想撫養這個孩子，她指出她該接受良好的教育；有個農夫願意

用他的農田來將她養大，他說孩子在農場長大會健康又知足。又有人說了話，提供了一些爲什麼孩子該跟著他們的好理由。

最後，鎭裡最有錢的人站起來說話了：「我可以提供你們所說的所有的利益，有了錢可以買所有的東西。」

在過程中，孩子保持沈默，頭垂得低低的。

「還有誰要發言?」會議主席問。

這時有個男人從大廳後頭走過來。他走得很慢，看來很痛苦。當他走到前頭時，他在小女孩面前站直了身子，伸出手臂。衆人鴉雀無聲。他的手和臂膀都有很可怕的傷疤。

孩子大叫：「這是救我的人！」她縱身一躍，用手臂勾住這人的脖子，緊緊的抱住他，就像那個不祥的夜晚一樣。她把她的臉埋在他的懷抱裡啜泣。然後她看著他，對他微笑。

「會議散會！」主席說。

作者佚名

看著你的小眼睛

小眼睛看著你，
日日夜夜盯著你瞧。
還有小小耳朵，
迅速的記住你說的每句話。
小小手臂熱切的
想做你做的事；
有個小男孩夢想著
有一天他會像你。

你是這小傢伙的偶像，
你是智者中的智者。
他的小小心靈對你

從沒有絲毫疑惑。
他虔誠的相信你，
關注你的一舉一動；
他說話動作將會照你的方式，
他會像你一樣的長大。

有個大眼睛的小傢伙，
他相信你一定是對的；
他的眼睛總是雪亮的，
他日日夜夜都在觀察。
你要做個好榜樣，
每一天每一件事都是；
因為這個小男孩在等待—
長大之後要像你。

作者佚名
羅納得·達爾斯丹提供

卷三　死亡與瀕死

死亡是一種挑戰。
它教我們別浪費時間……
它教我們立刻說出我們的愛。

李奧．F．巴斯卡力

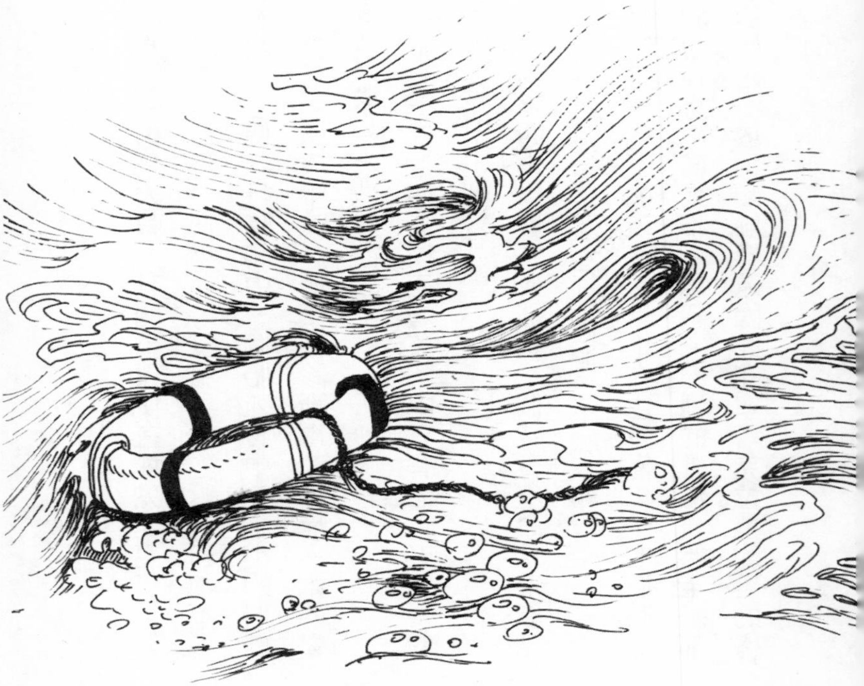

走進亮光中

在六年前，加州基爾羅伊市的特產仍是大蒜，有個小天使在那兒誕生了。珊儂·布拉斯對她的母親蘿莉來說是個奇蹟。幾年前，醫生早就告訴蘿莉她不可能再有小孩。而她卻懷了雙胞胎，三個半月時其中一個胎死腹中。小小的珊儂第一次展現了她不放棄生存的勇氣。兩歲半時，珊儂被診斷得了癌症。她的醫生說她活不了太久，但憑藉著愛與決心，她活了更多年。

珊儂得的是生殖細胞癌。每年七千五百個得癌症的孩子中只有七十五個得的是生殖細胞癌，醫生們必須從她的骨盤中抽取骨髓。

珊儂在接受骨髓移植前經歷了兩年的化學療法。那是一個威脅生命且不能預測結果的手術。骨髓移植和接近致命的化學療法使她徘徊於生死之門。

醫生說在化學療法之後她會終生癱瘓不能走路。但她在重量僅二十七磅時竟能行走。蘿莉說：「孩子們的生存意志眞是不可思議。」她的勇氣自始至終都很驚人，她以堅強的鬥志宣示她永不放棄。珊儂還因此在聖塔克拉拉的美的盛

會中得到一座獎杯，鼓勵她不屈不撓的勇氣。

珊儂的父親，賴瑞，在一場摩托車事故後折斷了背脊、脖子和雙腿，變成全身不遂－正與珊儂的病被發現時差不多時間。賴瑞在白天和珊儂一起留在家中，他說：「她有強烈的生存意志，她會證明人們錯了。」

蘿莉說，她的家人活在希望中。你看著珊儂時，絕不會認爲珊儂知道她快要死了。她總是精力十足，充滿對她周遭事物的關心與愛。當珊儂在史丹佛醫療中心住院時，短短幾年間，死亡把她最好的朋友都帶走了，她失去的好友比任何年長的人在一生中所擁有的朋友還要多。

在珊儂最難熬的時期，她常在夜裡清醒，坐直了身子，緊抓著她的父母，她要求她的母親別讓她到天堂去。蘿莉只能以沙啞的聲音回答：「天哪！我多麼希望我可以答應你。」

有時她甚至是個小討厭。有天她跟她媽媽到雜貨店去，有個友善的人對她們開玩笑：「妳把這個小男孩的頭髮剪太短了！」珊儂則不帶攻擊意味的回答：「先生，你知道嗎？我是一個得了癌症，快要死了的小女孩。」

有個早上，珊儂不斷的咳嗽，她媽說：「我們必須再到史丹佛去。」

「不，我很好。」珊儂堅稱。

「我認爲我們必須去，珊儂。」

「不，我只是感冒而已。」

「珊儂我們非走不可！」

「好吧，但只能去三天，否則我會搭便車回家！」

珊儂的不屈不撓和樂觀主義讓有幸在她周圍的人覺得生命充滿意義。珊儂在意的並不是她自己和她的需要。當她病懨懨的躺在病床上，她還會跳起來幫助她的室友，傾聽他們的需求。

還有一天，她看見有個滿面愁容的陌生人走過她家，她就衝出門外，遞給他一朵花，祝他有快樂的一天。

某個星期五下午，珊儂躺在史丹福兒童醫院，蓋著她溫暖的舊毯子，不住地呻吟。麻醉作用消失，她打嗝且嗚咽。但她卻爲了周遭人的安寧壓制了痛苦。她張開眼皮的第一個問題就是問她媽：「妳好嗎？」

「我很好，珊儂。」她媽說：「妳好嗎？」

在打嗝和嗚咽結束後，她回答：「我很好。」

在他們的家庭保險不夠支付她的醫藥費時，珊儂直接和當地的基金籌措人打交道。她走進基爾羅伊罐頭工廠並走向她所看到的第一個人，並展開談話。她對每個人都充滿了愛心，從沒注意到人們有什麼不同。最後她這麼說：「我得了癌症，可能會死。」之後，當這個人被問到他是否會爲珊儂貢獻他們罐頭工廠的罐頭時，他說：「給她她要的任何東西！」

珊儂的母親對珊儂和其他患了絕症的孩子有如下看法：「他們用心經營享受短暫人生。他們本身自然重要，但周遭世界更重要。」

四歲時，小天使珊儂在生死之間掙扎，她的家人知道到了她該離去的時候了。聚在她床緣的家人，鼓勵她走向通往光的隧道。珊儂回答：「太亮了。」有人要她走向有天使的那條路，她回答：「他們唱歌唱得太大聲了。」

如果你路過基爾羅伊看到小珊儂的墓碑，你會讀到她家人寫的話：「願妳和其他天使們手牽手。這世上沒有任何東西可以改變我們的愛。」

一九九一年十月十日，在基爾羅伊當地的報紙「快遞報」上，刊載了十二歲的丹米安・柯達拉在珊儂去世前寫給她的信：

走向亮光，珊儂，比妳先走的人充滿期待的在等妳。他們會敞開雙臂歡迎妳，以在地上或在天堂中最讓人感到愉快的愛、歡笑和情感來歡迎妳。珊儂，那兒不再有痛苦，更不會有悲傷。進入光亮之下，妳可以和過去妳正奮力對抗癌症和聰明的躲開死神的手時神秘失踪的朋友玩耍。

還留在地上的人一定會深深懷念與衆不同的妳，妳會活在他們的心靈裡和精神中。人們都認識妳，因爲妳使他們更親密。

最讓人驚訝的是，不管妳的面前有什麼問題，有多少艱難的障礙，妳不斷讓自己更有力量來打敗它們。但可悲的是，最後的審判打敗了妳。雖然我們捨不得妳離開，但我們仍讚嘆妳的勇氣。妳最後終於體會到做個普通小女孩的自由，且知道妳已實現了比我們大多數人更多的事。

被妳感動的心永不會失去愛的感覺。所以，珊儂，如果妳忽然發現妳走在黑暗的通道中，只看得見一丁點光亮，記得我們，珊儂，並勇敢走向光。

多娜·羅亞布

斯奇——一個絕對的好朋友

小時候，我不了解爲什麼我只應爲人類祈禱。當我媽媽吻我道晚安時，我已習慣於增加一個靜靜的祈求，爲所有的生物祈禱。

亞伯特・史懷哲

我第一次看到她時，她正坐在幾隻又跳又叫來吸引我注意的狗之中。她靜靜坐著，用她棕色的大眼睛瞪著我，我們之間似乎有一種默契。她的眼睛是她最好的特徵。她身體的其他部分卻像被人從很多隻狗身上取下來滑稽的拼湊上去。短腿德國獵犬的頭，大麥町的斑點，看來像威爾斯臘腸狗的腿、尾巴或者是……？什麼都有的她看來很奇怪……她是我看過最醜的狗！

我叫她斯奇‧蘇‧蕭。我們第一次碰面時她大概是三到四個月大，但看來卻有十四、五歲。當她六個月大時，人們會說：「孩子，這隻狗多大？她看來跟著你很久了。」當我回答她六個月大時，無可避免的會帶來一陣冗長的沈默，有時就這樣結束了談話。她從不是那種當我在沙灘上遇到想遇到的朋友時會引起話題的狗，只有一些老太太會對她發揮慈悲心。

但她很可愛、有愛心也很聰明，正是一個可以幫助我在失戀時忘掉痛苦記憶的好伙伴。她喜歡睡在我的腳上……不，不是在床腳邊，就是在我的腳上。每晚我翻身時總會感覺到她小小圓圓滾滾的身體。我感到我的腿好像被壓在鐵鉆下頭。最後我們做了協議：她睡在我腳上，我嘗試不要在床上太常翻身。

我認識第一個丈夫時，斯奇在我身旁。他很高興我和他一樣都有條狗。他的家人也不歡迎他的狗，因爲家中已經沒有任何完整的家具——完全被他的狗破壞殆盡。我的朋友非常開心，他以爲把他的狗留在我的狗旁邊，狗就會有事做，而不會天天啃家具。沒錯，他的狗讓我的狗懷孕了。

那時我和斯奇剛從海邊散步回來，雖然在我看來斯奇的外表並無長進，但對於三哩之內的公狗來說，她可是致命的吸引力。她翹起尾巴，高抬著頭，好像

狗展裡的公主。公狗從籬笆後頭，一路跟著我們，咆哮呢喃，好像快要死掉一樣。我馬上聯想到——一定是她發情的季節到了。我朋友的狗只有八個月大，所以我錯以爲讓他們單獨相處很安全，我還去打了電話和動物醫院約定了斯奇的「相親」日期。

當我折回來時，斯奇和我朋友的狗已經在我的客廳裡黏在一起！噢，眞是太可怕了。我除了吃驚的坐在那兒等著事情發生外還能做什麼？我只能等候。他們開始喘氣，斯奇看來無精打采，他的狗也疲憊不堪。我打電話給他叫他來，讓狗兒分開並把他的狗帶走。我等了一會兒之後，實在忍無可忍，就到外頭花園裡打雜去了。當我的朋友在工作後帶走他的狗時，這兩隻狗正在客廳地毯上打盹。他們看來如此天眞無邪，讓我以爲一切只是我的想像，什麼事也沒發生。

斯奇有了懷孕的徵兆。她本來就圓圓滾滾的身體在從狗門中擠進擠出時像一只小型的飛船。她對散步和跑步都興趣缺缺，但已習於以滾來滾去，搖搖擺擺的走路方式把大腹便便的自己從一個房間弄向另一個房間。該感謝的是此時她不再堅持睡在我的腿上。她已經沒法爬上床，所以我在床底下做了一個窩。我

認爲她該每天做運動維持身材，所以每天下午我還是繼續帶她到海灘散步。只要我們到了沙灘，她一定趾高氣昂的抬頭四顧並舉起尾巴，在岸邊走來走去。我想她肚子裡的小狗一定東滾西滾，爲這樣的動盪而作嘔。

在幫斯奇助產前我從沒有類似的經驗。她在某個凌晨用嘴把我的被單咬到她的窩那邊來叫醒我。這時我已夠機伶到能應付她的每一項要求，在她努力生出第一個寶寶時我即隨侍在側。它看來像被塞在一個密閉袋子裡。斯奇開始咬那個袋子。我眞希望她知道自己在做什麼，因爲我根本不知道。

看哪……眞的是隻小狗，滑滑的、黏黏的。斯奇把小狗舔乾淨，躺下來睡回籠覺。我也回到床上。

二十分鐘之後，我又發現棉被又被拖走了——另一隻小狗——我陪她一起奮戰、和她說話，直到第二隻小狗出生。我們談了一些從前我從沒對任何一隻狗說的事。我告訴她，我對她敞開了心扉，談論了她到我身邊來以前我失去的愛及內在的空虛。她從不抱怨……不抱怨我的話，也不抱怨生產的痛苦。整夜我們都在一起，斯奇和我……說話、生產、舔小狗……我做了第一件事，接著都是她的事。她一點也沒有哭叫呻吟，從小狗們誕生的那一刻就深深愛著牠們。

那是我最感充實的人生經驗之一。

沒有一隻小狗長得像她，也沒有一隻小狗長得像我朋友的狗。有三隻看來像黑色的小羔羊，有三隻則像短腿德國獵犬，背上有黑色的條紋。他們都很可愛。我們的朋友排隊等著要斯奇的小狗，我大可不必在雜貨店前捧著箱子等待別人來認領。

我的朋友和我結了婚又搬了家。我們把斯奇留在身邊，把他的狗送給別人。這件事我想他大概不會原諒我。

我們搬到一個有開放原野的地方，所以斯奇能夠在那兒自由自在的跑動。她會全速的衝到原野裡頭，消失無踪，偶爾你又會看到她的頭頂和耳朵在微風中高高抬起、輕輕搧動。她常出去玩得氣喘吁吁。不知她是否曾經抓過兔子，但我知道她盡力在做這樣的事。

斯奇什麼都吃，也什麼都吃得下。有個下午我為了晚上的教會聚會做了二百五十塊巧克力餅乾，不知怎麼地斯奇竟發現了裝餅乾的袋子，她不只吃了一點，也不只「大部分」，她吃掉了所有的餅乾——總共二百五十塊！我還以為她在那個小時內變成了孕婦。只有這時候她才會呻吟、喘氣，看來不太正常。

我不知道她發生了什麼事，趕快把她送到動物醫院。獸醫問我她吃了什麼，我回答，我根本沒有餵過她。獸醫的眉毛抬得幾乎高到頭髮裡頭。他說她吃了非常多的東西。

我把她留在動物醫院過夜，回家去找我要帶到教會聚餐的奉獻品。二百五十塊餅乾不翼而飛，我怎麼找也找不到。我確定自己在離家前把它們放在碗櫃裡。我到了後院，竟然發現我早先用來裝餅乾的九個塑膠袋整齊的堆在那兒。它們一點也沒被弄綯弄亂，只是空了。我於是打電話給獸醫，向他解釋二百五十塊餅乾不見了的事實。他說不可能，沒有任何動物吃了二百五十塊巧克力餅乾之後還能活命。他在晚上會好好觀察她。我沒有再看到那些餅乾，第二天斯奇就回家了。從那時起，她對餅乾就不太感興趣，但如果有人堅持她吃的話，她還是會吃。

斯奇的外表和年紀終有相稱的一天。她在十六歲時開始舉步維艱——爬階梯對她而言變得困難；腎的疾病也使她有痙攣現象。她一直是我的朋友，有時是我唯一可貴的朋友。我和人類的友誼會枯萎虛耗，但我和斯奇的友誼一直很穩固而可貴。我離婚，再婚，最後感覺自己是個勞碌命。我無法忍受看到她那麼

痛苦，我決定人道一點，讓她在生命的最後時刻保持平靜。

我向醫院預約並抱著她上了床。她親密的挨緊了我，雖然我知道她正在受苦。她不要我爲她擔心，她只需要我的愛而已。在她的一生中，她從不發牢騷也不哭訴。她爲我們之間付出了很多。在我們最後的一次同車的時候，我告訴她我有多愛她，而且爲她感到驕傲。她眞正的美長久以來一直籠罩著我，使我忘了我曾經認爲她很醜。我告訴她，我很欣賞她從不乞求我的關心和愛，而以一種應該如此的優雅接納。如果動物中也有高貴血統的話，她一定是，因爲她有能力像個尊貴的女王一樣享受生活。

我把她帶進獸醫的辦公室，獸醫問我在她最後的一刻我是否要陪著。我說是。當她躺在硬硬的金屬床上時，我用雙手環抱著她，企圖使她在獸醫爲她注射一針結束生命時保持溫暖。她企圖起身，但沒法像以前一樣站直腳來。在這最孤獨的一刻，我們互相凝視著……水汪汪的棕色眼睛，溫柔而值得信任的眼睛，看著我泛著淚水的藍眼睛。

「妳準備好了嗎？」獸醫問。

「是！」我回答。

我在說謊。在我一生中，我永遠沒準備要放棄我對斯奇的愛，我永遠不想放棄她。我永遠沒準備要如此，雖然我不想打破我和斯奇的聯繫，她也是。直到最後一秒鐘，她還看著我的眼睛，然後，我看見死亡進入了她的凝視裡，帶走了我最好的朋友。

我常在想，如果人也能複製寵物們對我所示範的品質，我們的世界可能會更美好。斯奇就毫不費力的以優雅和體諒的方式給我忠誠、愛、了解與同情。如果我能給我的孩子同樣的愛，我確信他們長大後會成爲地球上最快樂、最有安全感的人。她是個好榜樣，我也相信我會讓她引以爲榮。

人們說，我們死了之後會和我們愛的人在某個地方相遇。我知道誰在等我——一隻小小的、圓圓的、黑白相間的狗，她有一張老臉和一條再次看到她最好朋友時一定會快樂得搖個不停的尾巴。

佩蒂・韓森

一個英雄的故事

越南軍援司令部終於讓我從西貢到菲律賓的克拉克空軍基地，再從克拉克到關島，從關島再到夏威夷。在那兒，我開始記起我爲什麼赴戰場打仗：女孩、女人、使我傻笑盯著她們瞧的美麗動物們、好色者、大男人沙文主義豬、罪惡感。記得，那是在七十年代早期，男人還有權呆呆地望著女人……夏威夷就是個能這麼做的好地方。

我在夏威夷過夜後，從檀香山飛往洛杉磯到達拉斯。我找到了一家汽車旅館，睡了一天一夜，還是覺得全身無力。我已旅行了九千哩，卻還留在西貢的時間中。我想我還在抗拒無可避免的事。我害怕面對辛蒂・卡德威，害怕要告訴她她丈夫死了，而我還活著。我有罪惡感，但還是得這麼做。

我在達拉斯機場搭巴士，開始前往波曼的二百五十哩長路。德州很冷，我也很冷。

我站在門口，無法按門鈴。我怎能告訴這個女人和她的孩子們，那個男人永

遠不會再回家呢？我感到如同被撕裂一般的痛苦，在逃走的強烈欲望和對一個我不認識但使我人生因而改變的人的承諾中撕裂。我站在那兒，希望有些事會發生，幫忙我伸出手去按門鈴。

我開始哭了。我站在那兒，在大門口，恐懼和罪惡使我麻木。我又再次看到，幾乎是第一百次了，卡德威被炸成碎片的身體，聽到他溫柔的聲音，凝望他深棕色的眼睛，感覺到他的痛苦，於是我哭了。爲他哭，爲他的妻子、小孩哭，也爲我哭。我必須向前走。我明白在這個悲劇的戰爭中很多人死了，而我倖存，這個無意義的戰爭沒有證明什麼，也沒有實現什麼。

輪胎摩擦著碎煤渣路的聲音把我從噩夢中拉回來。一輛破舊不堪、紅白相間的普萊茅斯計程車開了過來，走出了一位中年的黑女人。司機，一個戴著破帽子的老黑人，也下了車。他們瞪著我，相對無言，動也不動，質疑著我，一個白人，在對他們優秀的鄰居做什麼。

我站在那兒，瞪著眼睛，就在他們正要對我說話時，忽然間女人的臉閃過恐懼的表情。她開始尖叫，手上的袋子掉在地上，衝向我，把司機留在背後。她三步當兩步走，兩手抓著我的外套，問：「告訴我，你是誰？我兒子發生了什

麼事？」

「噢，該死！」我想，「我看到的是卡德威的媽。」

我伸出手握住她的手，以最輕柔的聲音說：「我叫弗來德‧帕爾斯，我找辛蒂‧卡德威。這是她家嗎？」

女人瞪著我，傾聽我說話，試圖理解我說的話。很久以後，她開始發抖，她的身體猛烈的顫動著，如果我沒握住她的手，她可能倒向大門。我緊握著她的手，我們一起倒向大門，發出很大的聲響。

計程車司機在門被打開時過來幫我扶住這個女人。辛蒂‧卡德威看見了這幅景象：一個奇怪的白人扶住她認識的黑女人，站在大門口。她迅速展開行動。

她很快的把門闔上一半，當她再次出現時，手裡持著十二口徑的獵槍。槍穩穩的拿在她手上，她齜牙咧嘴的說：「放開我媽和我家大門！」

我透過朦朧的鏡片望著她，希望不要因爲一個誤解死在這裡，我說：「如果我放開她，她會跌倒。」計程車司機也出現在她的視線中，而她的態度也立刻改變了。

「馬納，發生了什麼事？」她問司機。

「我不清楚，親愛的。」他說：「這個白人在我們來的時候就站在妳門口，妳媽跳向他大叫，問他妳弟弟肯尼士發生了什麼事？」

她看著我，眼中有個大問號。我說：「我名叫弗來德·帕爾斯，如果妳是辛蒂·卡德威的話，我必須和妳談談。」

她握著槍的手鬆了些，說：「是的，我是辛蒂·卡德威。我有點迷糊了，但你可以進來，你也可以扶我媽進來吧？」

我儘可能溫柔的攙著辛蒂的母親通過大門。那個司機跟著我們進了房子，並把剛掉下來的袋子放在通往二樓的梯子上。他一臉困惑的站在那兒，不知該留下來或是離去，不知道我是誰，或我葫蘆裡到底在賣什麼膏藥。

我讓辛蒂的母親坐進填得硬硬的沙發椅裡後退幾步等待著。這樣的寂靜變得很難忍受，我在辛蒂說話時，清了清喉嚨。

我說：「對不起，請繼續。」

她說：「很抱歉，通常我不會用槍來歡迎客人，但我聽到撞擊的聲音，又看到你抓著我媽站在門口，我自然而然的……」

我打斷了她：「請別再說抱歉。如果我碰上同樣狀況的話，我也許也會這麼

做，反正又沒有造成傷害。」

「你要喝咖啡嗎？」她問，「你是不是該脫掉溼外套？否則你會生病的。」

「好，兩個都要。」我說。

「我想喝咖啡，我也想脫掉外套。」脫外套讓我稍微有點事做，減輕我的緊張情緒。

在這種狀況下，辛蒂的母親和司機馬納，似乎都輕鬆了些，他們也有機會再打量我一遍。

很明顯的，我通過了考試，因爲這個女人伸出了手對我說：「我是伊達・梅・克雷蒙斯，這是我丈夫，馬納。請坐下，舒服點。」她指著一張牛皮沙發，叫我坐在那兒。

我知道這是馬克・卡德威的椅子。我即將坐上他的椅子，摧毀他一家人的希望。我緩緩坐下，企圖用我所有的力氣抓著它，心情如履薄冰。我深吸了一口氣，再慢慢吐出來，問：「伊達・梅，我很抱歉剛剛嚇到了妳，但我不認識妳兒子肯尼士，他在哪裡？」

她把身子拉到和椅子同高，說：「我兒子肯尼士是海軍，駐在越南西貢的美

國大使館，他兩個星期內會回家。」

我說：「很高興聽到他能平安返家。大使館的任務很好，很安全。我眞的很高興他快回來了。」

她看著我的短髮和老式的衣服，說：「你也在軍中？也在越南嗎？」

「是的。」我說，「昨天我才回來，也許是前天。我被十三個小時的時差搞昏頭了，根本不知道現在是今天、昨天，還是明天。」她和馬納看著我，咯咯的笑。

我剛說完話，辛蒂就拿著碟子、杯子、餅乾、奶油、糖和咖啡走進來。味道很好聞，我極需喝一杯。我極需任何可以緩和氣氛及讓我雙手不要抖動的東西。我們閒聊了一會兒，辛蒂說：

「弗來德，能見到你和與你說話是我們的榮幸，但我很好奇，是什麼風把你吹來的？」

那一刻，前門忽然打開，兩個小女孩走了進來。兩人緩緩的走進屋子，以誇張的方式秀著她們的新衣服。跟著她們進來的是個抱著嬰兒的中年女子。

我忘了我的任務。我們把話集中在兩個女孩和她們的新衣服上頭，稱讚她們

很漂亮，說她們能擁有這麼可愛的新衣服眞是幸運。當興奮稍稍平緩下來，女孩們坐在用餐房間的遊戲桌那邊，辛蒂折回來時，介紹道：「弗來德，這是我的岳母，佛羅倫絲・卡德威。佛羅倫絲，這是弗來德。嗯！」

「帕爾斯。」我補充道。

「他就要告訴我們他爲什麼會來這兒。」她又說。

我深呼吸了一口氣，伸手取我的皮包，說：「我眞不知該如何開始，幾個禮拜前我才從北越的P・O・W集中營逃回來。」我直視著辛蒂，說：「當我成了囚犯時，你的丈夫，馬克，被帶到我的身邊，半死不活了。他在北越出使任務時中了槍，被俘虜到我的集中營來。我盡了力，但他傷得太重，我們兩人都知道他快要死了。」

辛蒂以手掩口，發出吱吱嘎嘎的聲音，兩眼注視著我的眼睛。伊達・梅和佛羅倫絲兩個人都哽咽了。馬納喃喃說：「天哪！」

「馬克說，如果我答應他一件事，他會協助我逃離集中營。老實說，我以爲他在胡言亂語，但我還是答應爲他做任何他要求的事。」

那時我們都哭了，我暫時閉起嘴來集中思緒。我看著她，她正看著遙遠的地

方。她的眼睛滿是淚珠，以手遮住了臉痛苦地哭著。我又繼續說話了。

「他說：『答應我到德州告訴我的妻子辛蒂，她還是我最愛的女人，我臨死時想的是她和我們的女兒們。你答應我嗎？』」

「是的，馬克，我答應。我會到德州。」我說。

「他把這張照片和他婚禮的戒指給了我，你們可以知道我說的是眞話。」我把戒指和照片交給辛蒂，並握了她的手。

我傾著身子從外套內側把刀子拿出來，說：「他給我這把救命的刀，我說：『謝謝你，馬克。我答應你，無論如何我會到德州。』」

「『還有什麼事要交待？』我問。」

「『是的，你可以抱住我嗎？』他問。『抱住我，我不想孤獨的死。』」

「我緊緊抱了他很久，很久。他一直重覆的說，『再見，辛蒂，我愛妳，但我很抱歉，沒法回去看女兒們長大。』後來，他平靜的死在我懷裡。」

「我要妳明白，」我說，「我要你了解，辛蒂，我盡了力，但傷得太重了。我不知道如何止血，也沒有任何醫療設備，我……」那時我徹底崩潰了。

我們一直在哭泣，女孩們因而走進房裡。她們想知道我們爲什麼如此悲傷。

我看著辛蒂，因為我沒法再說一遍，所以她對孩子們說，我帶來一些壞消息，而一切會很快復原的。

這樣說似乎讓她們滿意了，她們回到用餐的房間，不一會兒又玩了起來。

我必須解釋馬克的壯烈事蹟，所以我又開始說了。

「馬克給我的刀子讓我制伏了警衛，放走其他十二個被囚禁在集中營的美國人。你的丈夫是英雄。因為他，有十二個美國人獲得了自由，我才能坐在這個椅子上，告訴妳他的噩耗。我很抱歉，我多麼害怕告訴你這件事。」

我又再度哭了起來，辛蒂從椅子上站起身子過來安慰我。她，失去了她最珍貴的東西，竟還在安慰我。我覺得自己很可恥也很光榮。她用手捧起我的臉，看著我說：「你知道，你說的故事裡有兩個英雄，一個是我的丈夫馬克，一個是你，弗來德。你也是個英雄。謝謝你，謝謝你到這兒來，自己告訴我這件事。我知道你到這兒來，面對我，告訴我我丈夫死了並不容易，但你是個高尚的人，守住你的承諾。這並不是每個人都做得到的。謝謝！」

我悵然若失的坐在那兒。我沒感覺自己是英雄，但我聽到這個女人的話語，在她極度憂傷痛苦的時候，她還告訴我我是英雄，是個高尚的人。我只覺得罪

惡與憤怒；我僥倖存活是罪惡，因爲她的丈夫，孩子們的父親卻死了；令我強烈憤怒的是戰爭的愚蠢和殘酷；是浪費和損失。我無法原諒我的國家或我自己；然而，一個經歷這個巨大損失的痛苦的女人，失去丈夫的女人，卻原諒了我，而且感謝我。我實在聽不下去。

我也對政府感到難以言喻的憤怒。爲什麼他們不來告訴這個女人，她的丈夫死了？馬克・卡德威的屍體在哪裡？爲什麼不是在這兒，爲什麼沒有葬禮，沒有哀悼的時間？爲什麼？爲什麼？

不久，我說：「我把馬克的身體帶回南越，我相信海軍會和妳連繫有關他葬禮的事。我很抱歉我不會再到這兒，但請相信我會一直想念妳。我會永遠記得妳。」

我們坐了一會兒，然後我問馬納，他是否可以載我到巴士站讓我搭巴士到達拉斯去。我正在休假，我想喝很多酒，醉很久，很久。

弗德瑞克　E・帕爾斯　Ⅲ

懷念墨菲太太

因爲高速公路駕駛的速度與爭先恐後太讓人感到無聊，去年夏天我的丈夫和我決定走「比較少人走的路」到海邊去。

當我們停在馬利蘭州東岸一個不知名的小鎮時，發生了一件我們永生難忘的事。

開頭很簡單。交通號誌變成紅燈，我們停下來等綠燈時，我瞄到了一間簡陋的小療養院。前廊白色藤椅上坐著一個老太太，她的眼睛專注的看著我，似乎在召喚我到她身邊去。

綠燈亮了。忽然間，我說：「吉姆，把車停在旁邊。」

我示意吉姆把車開向朝療養院的小路—吉姆停了車。

「等等，我們誰也不認識。」我溫柔的勸解，讓我的丈夫相信我這樣做是有道理的。

用有磁力的眼光使我來到這兒的女士緩緩的站起來，拄著拐杖，慢慢走向我們。

「很高興你們停了下來。」她感激的微笑。「我多麼希望你們會停下來。你們可以坐下來閒談幾分鐘嗎？」我們跟著她到前廊的陰涼處。

我對這位女主人自然散發的美麗印象深刻。她很窈窕，但絕不單薄。除了她淡褐色眼睛的縐紋外，她象牙色的肌膚十分光滑，近乎透明。她如絲般的銀髮整齊的在後腦勺梳成了髻。

「很多人經過這兒，」她開始說，「特別是夏天，他們從車窗內往外望，只看到一間住著老人的老建築物。但妳們看見我：瑪格麗特・墨菲。你們也停了車。」瑪格麗特充滿思慮的說：「有些人認為老人衰老沒用了，事實上，我們只是非常寂寞。」然後，她半開玩笑的說：「至少我們這些老傢伙還在喋喋不休的說話，不是嗎？」

瑪格麗特指著她棉質花洋裝的蕾絲衣領上發出鑽石光芒的卵形瑪瑙浮雕，問我們叫什麼名字，從哪裡來？當我說：「巴蒂摩爾」時，她的臉發亮，眼睛閃爍著光芒。她說：「我的妹妹，願上天保佑她的靈魂，她一生都住在巴蒂摩爾

的哥魯希大道上。」

我很興奮的解釋道：「我小時候住在離那兒不遠的農場街上。妳的妹妹叫什麼名字？」我立刻記起瑪莉・吉布森斯。她是我的同班同學，也是我最好的朋友。超過一個小時的時間，瑪格麗特和我一起懷舊聊起年輕時的往事來。

當護士拿著一杯水和兩顆粉紅色的藥錠來時我們談得正水乳交融。

「對不起，打斷妳們……」她愉快的說：「但妳吃藥和午休的時間到了，瑪格麗特小姐。我們必須按規定來，妳知道的。」她說完後，微笑的把藥遞給瑪格麗特。吉姆和我互看了一眼。

瑪格麗特馬上吞了藥丸。

「我可以和我的朋友多聊幾分鐘嗎？巴克斯特小姐？」瑪格麗特問。她很和藹而堅定地問，護士拒絕了。

巴克斯特小姐幫忙把瑪格麗特攙起身來。我們向她保證下週從海灘回來時會再回來看她。她才轉憂為喜。

「太棒了！」瑪格麗特說。

享受了一個星期的陽光後，吉姆和我返家的那一天天色相當陰霾。在烏雲籠

罩下，小療養院別具蕭瑟之感。

等了幾分鐘後，巴克斯特小姐出現了，她給我們一個小盒子，裡頭裝著一封信。當我讀那封信時，她握著我的手：

我親愛的人：

自從我所愛的丈夫亨利在兩年前去世以後，過去的這幾天是我擁有的最快樂的時光。我再一次擁有被關心的感覺。

昨晚醫生又來看過我的心臟問題。無論如何，我覺得很好。我心情很愉快，要感謝你們倆把歡樂又帶進我的生活中。

碧佛莉，親愛的，我給妳的禮物是我們相識那天我戴的瑪瑙胸針。一九三九年六月三十日，我丈夫在結婚那天把它送給了我。它本來屬於他的母親。希望妳喜歡它，並希望將來某一天它會屬於妳的女兒和她們的孩子。我永遠的愛隨著瑪瑙別針一起給了妳。

瑪格麗特

我們見面後第三天，瑪格麗特在睡夢中平靜的去世。我握著瑪瑙別針，淚珠滑下了我的臉頰。我輕輕仔細端詳它，並看到它的鑲銀邊上的幾個字：

「愛即永恆」

——親愛的瑪格麗特，我會一直懷念妳。

碧佛莉・懷恩

年輕女子還活著

下面這首詩是由一位在蘇格蘭妲蒂的阿許露蒂亞醫院老人病房去世的女子所寫的。它在她的遺物中被發現，使醫院的人員印象深刻，並將它影印廣爲流傳：

你看到什麼，護士？
你看著我的時候這樣想嗎？
一個難纏的老太婆，不太聰明，
摸不清的脾氣，卻還有做夢的眼睛？
她只會滴漏她的食物；
當你大叫：「我希望你試試看！」時悶聲不響；
她看來不太注意你做了什麼；
總是掉了一隻襪子或鞋子。

不管你做什麼，她都隨便——
讓你洗澡餵飯，度過漫漫長日，
你想到看到的是這樣嗎？
睜開你的眼睛，護士，看著我。
我會告訴你我是誰。
坐在這兒，照你吩咐，你要我吃就吃的我。
我是一個有父有母的十歲小女孩，
有相親相愛的兄弟姐妹；
是一個腳上長翅膀的十六歲女孩，
夢想著不久後會遇上白馬王子；
是一個內心雀躍的二十歲新娘，
深記我承諾的海誓山盟；
二十五歲時我有了自己的孩子，
他們需要我爲他們建立一個安全、快樂的家；
是一個三十歲的女人，孩子長得很快；

開始繫上了領帶；
四十歲，孩子們長大離了家，
但我旁邊的男人並沒有看見我的悲傷；
五十歲，孩子們又在我膝上玩耍，
我又再次認識了我所愛的孩子們。
愁雲慘霧的日子卻來臨了——我的丈夫去世。
展望未來，我因恐懼而戰慄。
我的孩子都在爲他們的孩子而努力，
我只能懷想過去的這些年和我的所愛。
自然很殘酷，我變成了老女人，
身體不管用，不再優雅也不再生氣蓬勃；
心也變得堅硬如石。
在這個老而僵的身體中卻活著一個年輕女子。
現在，我悲苦的心又沈醉了，
我記得歡笑，也記得痛苦。

我又再度愛上人生，重活了一次，
我想到那些年，過得太快、太短，
並已接受沒有任何東西會留下來——
　這個鐵一般的事實。
睜開你的眼睛，護士，睜開看清楚——
我不是一個難纏的老太婆，
靠近點—了解我！

作者佚名
朗納德·達爾斯坦提供

最後的再見

「我要回丹麥的家去，兒子，而且我要告訴你我愛你。」

在我爸打給我的最後一通電話中，他在半個小時內把上述的話說了七次。我並沒有眞正聽出他要傳達的意思。我聽到他說的話，但並沒有收到訊息，遑論它深刻的內涵。我相信我爸會活過一百歲，像我那個活到一百零七歲的叔公一樣。我並沒有感覺他對媽的去世很自責。

也不了解他強烈的寂寞，不知道他絕大多數的好友已經離開這個星球。他淡淡的要求我和我家兄弟爲他生下下一代，這樣他才能來得及當個有所貢獻的祖父。

「爸過世了。」我弟弟布萊恩在一九七三年七月四日說。

我的小弟是個聰明伶俐的律師，反應敏銳，有幽默感。我以爲他在開我玩笑，所以我等著他自己翻案，但他沒有。

「爸在他出生的那張床上去世了—在羅茲凱帝。」布萊恩繼續說：「葬儀社的

人把他放進棺木裡，明天會把他的遺體運到我們這兒來。我們該準備舉行葬禮了。」

我無言以對。這件事不該是這樣的。如果我知道那是爸生命中最後的幾天，我應該和他一起到丹麥去才對，我相信那些宗教慈善團體所強調的話——「沒有人該孤獨的死去。」

當他過渡到另一個地方去，在他生命的最後時刻，我應該給他慰藉，就像我眞正在無限傾聽、思考一樣。爸已經向我預告了他要離開這世界，而我卻錯過了這個訊息。我感到憂傷、痛苦和自責。爲什麼那時我不在他身旁呢？當我需要他時，他卻總在我身邊。

在九歲那年的早晨，在自己的麵包店工作了十八小時的他會在五點回家，用他強壯有力的手搔我的背、叫醒我，並輕聲說：「該起床了，兒子。」在我梳洗好準備送報以前，他會把我的報紙摺好，裝在我的腳踏車籃子裡。當再度想起他的慈愛與寬大，淚水又盈滿了我的眼睛。

當我參加腳踏車比賽時，每週二他會開五十哩的車送我到威斯康辛州的康諾夏，讓我在晚上參加比賽，而他則在一旁觀戰。我輸時他爲我打氣，我贏的時

候他則和我共享殊榮。

之後，他陪伴我參加芝加哥地方性的演說，當我在二十一世紀公司、玫琳凱、公正公司和不同的教會演說時，他總是微笑傾聽，並驕傲的對他的鄰座說：「那是我兒子！」

想及這些往事，我因父親總是陪伴我，而我卻沒能在他身旁而痛苦。我的小小忠告，是要告訴你，你一定要和你愛的人分享你的愛。並在他們肉體生死轉變的神聖時刻陪伴他們。和你愛的人一起經歷死亡，會將你帶進更大、更寬廣的存在層面。

馬克．維克多．韓森

今天就做！

如果你快死了，只能再打一通電話，你會打給誰，會說些什麼？你還等什麼？

史蒂芬・拉賓

當我在加州帕羅阿爾多的學校當校長時，我們的理事會主席保利・帝納寫了一封信在帕羅阿爾多時報刊出。保利的兒子吉姆是個與衆不同的學生。他被分在教育障礙班，對雙親和教師而言都亟須耐心。但吉姆卻是個樂觀的孩子，他的微笑照亮了整個班級。他的父母承認他在學業上有困難，但總是幫忙他，讓他在體力上有所發揮，使他也擁有一些驕傲。但就在吉姆完成高中學業後不久，他在機車事故中喪生了。他死後，他的母親把這封信提供給報社發表。

今天我們埋葬了我們二十歲的兒子。他在星期五晚上一場機車事故中遽然喪生。我多麼希望當我最後一次跟他談話時知道，那就是最後一次。如果我知道，我會說：「吉姆，我愛你，而我也感到驕傲。」

我想花點時間算算他帶給愛他的人多少幸福。我也想花點時間欣賞他美麗的微笑，他的笑聲，他對人們的眞愛。

當你把他好的屬性放在天平的另一端，和企圖把收音機開得太大聲、髮型不是你所喜歡的樣子和把髒襪子放在床上等激怒你的壞習慣比較時，你會發現，那些讓人生氣的壞習慣根本不算什麼。

我再也沒有機會把我希望他聽到的話告訴我的兒子，但其他的父母，你們都還有機會。把要他們聽的告訴他們吧！就像把握最後一次的談話機會一樣。我最後一次和吉姆說話，是在他去世的那天。他打電話給我，說：「嗨，媽！我打電話給妳只是要告訴妳我愛妳。我得去做事了，再見。」他給了我永遠能夠珍藏的東西。

如果吉姆的死有任何目的的話，也許就是讓其他人更欣賞人生並讓人們——特別是家人，撥出時間來讓彼此知道我們有多麼關心對方。

你可能不會再有機會。今天就做！

羅伯特·李瑞任那

善行安撫破碎的心

我是唯一。但，我也是一個人。我没法做所有的事，但總能做些事。就因爲我不能做所有事，所以我不會拒絕我能做的事。

艾德華・艾佛瑞・海爾

我丈夫，漢諾許，和我合寫了一本書「慈心善行」——如何創造善的革命。這本書在美國各州都有不少讀者。這個故事就是在芝加哥的廣播脱口秀中由一位匿名的聽衆提供的。

「嗨，媽咪！妳在做什麼？」蘇西問。

「我正在爲隔壁的史密斯太太烘一盤東西。」她母親説。

「爲什麼？」六歲的蘇西問。

「因爲史密斯太太很憂傷；她失去了女兒，心都碎了。我們必須照顧她一會兒。」

「爲什麼，媽咪？」

「妳知道，蘇西，當人很難過的時候，他們會連做飯或其他家事這樣的小事都沒法做。我們也是社區的一份子，史密斯太太又是我們的鄰居，得幫史密斯太太一點忙才行。史密斯太太沒辦法像一般母親那樣擁抱她女兒了。蘇西，妳是個聰明的女孩，也許妳也會想得出一些方法來安慰史密斯太太。」

蘇西開始認眞的思考她如何幫忙照顧史密斯太太。幾分鐘後，蘇西敲了她的門。不久，史密斯太太來應門，說：「嗨，蘇西！」

蘇西注意到史密斯太太的聲音不再像從前應門時一樣動聽了。她看來像哭了很久，因爲她的眼睛又紅又腫。

「有什麼事嗎，蘇西？」史密斯太太問。

「我媽說妳失去了女兒，非常非常難過，心都碎了。」蘇西害羞的伸出她的手。手裡有個OK繃。

「這是讓你把碎掉的心貼起來的。」史密斯太太接過了它，破涕爲笑。她彎下

身子擁抱蘇西，淚光盈盈的說：「謝謝妳，親愛的女孩，妳幫了很大的忙。」

史密斯太太接受了蘇西的善行，並將它擴充了。她買了一個附帶塑膠玻璃畫框的鑰匙環——平常人用來攜帶鑰匙和驕傲展示家庭照片的。史密斯太太把蘇西的OK繃放在框框中，提醒她自己，每次看到它時都要復原一些。聰明的她知道治療需要時間和支持。它變成她療傷的象徵，提醒她不要忘記她和女兒曾一起擁有歡樂和愛。

米蘭蒂．麥克卡提

早上見

因為我母親及她的智慧，使我免於死亡的恐懼。她是我最好的朋友和最偉大的老師。每次我們分開前，不管是不是到了晚上，還是其中一個人就要去旅行，她總會說：「早上見。」那是她常掛在嘴邊的承諾。

我的祖父是牧師。當時，就在世紀交接之際，任何一個教會的人去世，屍體都會放在牧師家的大廳。對一個八歲的女孩而言，這可是最令人恐懼的經驗。

有一天，我祖父把我媽抱起來帶到大廳裡，並要她摸著牆壁。

「芭比，妳感覺如何？」他問。

「嗯，又硬又冷。」她回答。

然後他把她帶到棺材邊，說：「芭比，我將要求妳做我被要求做過的最困難的事。但若妳做到了，妳就不會害怕死亡。我要妳把手放在史密斯先生的臉上。」

因為她愛自己的父親而且完全信任他，所以她就照著做。

「什麼感覺?」我的祖父問。

「爸,」她說,「感覺像牆壁。」

「這就對了,」他說。「這是他的舊殼,我們的朋友,史密斯先生搬家了。芭比,妳沒有必要害怕一間舊房子。」

這一堂課對她影響很大,使她對死亡毫無所懼。在她離開我們的八個小時前,她還做了一個不尋常的要求。

當我們站在她床緣強忍淚水時,她說:「別帶鮮花到我的墳上,因爲我不會在那兒。當我捨棄這個身體後,我會到歐洲去。你們的爸爸留不住我。」房間裡爆出一陣笑聲,那個晚上再也沒人掉眼淚。

當我們吻她和她道晚安時,她微笑道:「我們早上見。」

第二天清晨六點十五分,我接到醫生的電話,她已經動身前往歐洲了。

兩天後,我們在父母的房子裡整理母親的遺物,我們看到她所寫的堆積如山的檔案。我將它們打開來時,有張紙飛落在地上。

它寫著如下的詩篇。我不知道那是她的原作還是她所鍾愛的其他詩人的作品。我只知道它是唯一掉下來的一張紙,它寫道:

遺產

當我死去，把我留下的給孩子們。
如果你必須哭，爲走在你身旁的弟兄哭泣。
把你的手臂環住任何人，就像環住我一樣。
我想留給你一些東西，
比文字和聲音更好的東西。
在我認識和我所愛的人身上看見我的存在。
如果沒有我你活不下去，那麼讓我
活在你的眼裡、心裡和善行裡。
你可以更愛我——
心手相連讓孩子們得到自由。
愛不會死，人會。
所以我所留下僅有的愛……
讓我走……

爸和我相視而笑，因為我們感覺她就在我們身邊，早晨又再度來臨了。

約翰·韋恩·希許拉特

愛從未離開你

我在一個非常平凡的家庭長大，有兩個兄弟和兩個姊妹。雖然我們當時很窮，爸媽還是會在週末帶我們出去野餐、去動物園玩。

我媽是個充滿愛心與關心的人。她隨時隨地都準備要幫忙別人，也總是把迷路和受傷的動物帶回家。即使她得照料五個小孩，她還是有時間助人。

回憶孩提時候，我總感覺我的父母不像是一對有五個小孩的夫妻，而像新婚燕爾般充滿熱愛。白天他們和我們消磨，晚上則是他們相處的時間。

一九七三年五月二十七日那晚，我在睡眠中被他們回家的聲音吵醒了，他們和朋友一起出門的。他們一直笑，一直鬧著玩，直到我聽到他們上了床，我才轉身睡回籠覺，但整個晚上夢魘連連。

一九七三年五月二十八日，烏雲密佈，我起了床，但母親還沒起來，所以我們自己打點好自己準備上學。一整天，我都感到很空虛。回家走進房子時，我說：「嗨，媽，我回來了。」卻沒有回答。

房子看來既冷又空洞。我好害怕，一邊發抖，一邊走上樓到爸媽的臥房。門只打開了一小縫，看不到裡頭。

「媽？」我推開了門，以便看清整個房間，卻發現我媽躺在床邊的地板上。我企圖搖醒她，但她卻沒醒。我知道她死了。我轉身離開房間，下了樓，坐在沙發上靜靜的等了很久，直到我大姐回家來。她看我呆呆坐在那兒，忽然間就衝上樓去。

我坐在大廳，看著我父親對警察說話。救護車來了，把我媽放在擔架上抬走。我只能坐在一邊看，甚至哭不出來。我從來不認為父親像個老人，但當我看著他時，他看來蒼老無比。

一九七三年五月二十九日，星期二，是我的十一歲生日。沒有人唱生日快樂歌，沒有蛋糕和宴會，我們只是圍著餐桌靜靜坐著，看著我們的食物。那是我的錯。如果早點回家，她就不會死了。如果我再長大點，她就會活著。如果……

……

多年來，我對母親的死一直懷有罪惡感。我想到一切我應該可以挽回的事。對她來說我是個難纏的孩子。我眞的相信，因爲我愛惹麻煩，所以上帝懲罰

我，帶走我的母親。最困擾我的是我從沒機會說再見。我不能再享受她溫暖的懷抱，聞她甜蜜的香水味或在道晚安時感覺她溫柔的吻。我認爲一切都是給我的懲罰。

一九八九年五月二十九日：我的二十七歲生日，感覺既寂寞又空虛。我還沒有從母親的死亡中恢復過來，還是陷在錯綜的情感中。我對上帝的憤怒到達頂點，於是我對上帝尖叫抗議：「你爲什麼把她從我身邊帶走？你甚至沒有給我機會說再見。我愛她，你卻帶走她。我只希望再擁抱她一次。我恨你！」我坐在自己的大廳裡哭泣。我覺得自己枯槁不堪，而忽然間，卻有溫暖的感覺傳遍我全身。我幾乎具體的感覺到有一雙手臂環抱我。我也彷彿在房間內聞到了我念念不忘的芳香。是她。我感覺她在。我感到她的撫觸，嗅到她的芬芳。我所恨的上帝實現了我的願望。當我需要她時，她回來了。

我知道她一直在我身旁。我仍然全心愛著她，我也知道她爲我守候。就在我放棄希望，承認她已經離去的事實時，她讓我明白她的愛永不離開我。

史丹利　D·慕爾森

最漂亮的天使

笨蛋的心在嘴巴上，聰明人的嘴巴在他的心上。

班傑明・富蘭克林

過去二十年來，我一直扮演班傑明・富蘭克林（美國開國元勳）的角色對各式各樣的聽衆演講。縱然我從前的演說大多針對法人組織和工會，但我還是很喜歡到學校去演講。當我在爲費城地區之外的某個法人客戶工作時，我要求他們贊助我到兩個學校演講，服務他們的社區。

我發現，再小的孩子都能妥善接收我所傳達的富蘭克林的訊息。我總是鼓勵他們問想問的問題，所以我通常會接到很有趣的問題。富蘭克林的角色對學生們來說栩栩如生，因而他們很願意拋開不信任，把我當成富蘭克林進行對話。

某個特別的一天，在一所小學的集會之後，我拜訪一班五年級的學生，回答那些學生有關美國歷史的問題。有個學生舉手說：「我以為你死了。」這個問題並非不尋常，我如此回答道：「是的，我在一七九〇年四月十七日，八十四歲的時候去世了，但我並不喜歡死，不想再死一次。」

我馬上要求他們再問其他的問題，叫了坐在教室後排舉手的一位同學。他問：「你在天堂的時候見到我媽了嗎？」

我的心臟幾乎暫停了。我眞想找個地洞鑽下去躲起來。我唯一的想法是，「別吹牛了！」我了解一個十一歲的男孩會當著全班同學問這個問題，若不是他的母親不久前才去世，就是出自於深切的關心。我也知道我必須說些什麼。

我聽到自己的聲音說：「我不確定她是不是我認識的那個人，但如果是的話，她就是那兒最漂亮的天使。」

他臉上的微笑告訴我，它是正確答案。我不確定這個答案為何脫口而出，但我想，一定是那兒最漂亮的天使幫了我一點小忙。

羅夫・雅企鮑爾德

卷四　態度問題

我們這一代最偉大的發現是人類可以藉由改變心中的態度來改變人生。

威廉・詹姆斯

為什麼要沮喪？

當我有一天下班開車回家時，我中途停車看了一場在我家附近公園舉行的社區小聯盟棒球比賽。當我坐在一壘壘包後頭的看台椅子上時，我問一個小男孩，比數多少了？

「我們落後十四分，還是零分。」他微笑回答。

「眞的嗎？」我說，「但你看起來並不很沮喪！」

「沮喪？」男孩困惑的問，「我們爲什麼該沮喪？還沒輪到我們上去打擊呢！」

傑克·坎菲爾

窗

生命操之在我，過去、未來皆然。

祖母 摩西

從前有兩個人都病得很重，同住在一家大醫院的小病房裡。房間很小，只有一扇窗子可以看見外面的世界。其中一個人，在他的治療中，被允許在下午坐在床上一個小時（有儀器從他的肺中抽取液體）。他的床靠著窗。但另外一個人終日都得平躺在床上。

每個下午坐在窗旁的那個人在那個小時內坐起的時候，他都會描繪窗外景致給另一個人聽。從窗口向外看可以看到公園裡的湖。湖內有鴨子和天鵝，孩子們在那兒丟麵包並放模型船，年輕的戀人在樹下攜手散步，在花朵盛開且綠草如茵的地方人們玩球嬉戲。後頭一排樹頂上則是美麗的天空。

另一個人傾聽著，享受每一分鐘。他聽見一個孩子差點跌到湖裡和美麗的女孩穿著夏裝的事。他朋友的述說幾乎使他感覺自己親眼目睹外面發生的一切。

然後，在一個天氣晴朗的午後，他心想：「爲什麼睡在床邊的人可以獨享看外頭的權利呢？」爲什麼他沒有這樣的機會？他覺得可恥，但他越這麼想，越想換位子。他一定得換才行！有天夜裡他瞪著天花板瞧，另一個人忽然驚醒了，拚命的咳嗽，一直想用手按鈴叫護士來。但這個人只是旁觀而沒有幫忙——儘管他感覺同伴的呼吸已經停止了。第二天早上，護士來的時候那人已經死了，只能靜靜的抬走他的屍體。

過了一段適宜的時間後，這人開口問，他是否能換到靠窗戶的那張床上。他們搬動了他，幫他換位子，使他覺得很舒服。他們走了以後，他企圖用手肘撐起自己，既辛苦又費力的往窗戶望。

窗外只有一堵空白的牆。

作者佚名

由雷納特·達爾斯坦和哈瑞艾特·林達賽提供

紅衣服

它掛在櫥子裡。
媽的紅衣服在她臨死時，
像一排黑色舊衣服中的裂縫，
而她穿著黑色舊衣磨光了一生。

他們叫我回家，
我知道當我看到她時，
她已經奄奄一息。

當我看到那件衣服時，我說：
「爲什麼呢——它這麼美，
我卻從沒見過你穿它。」

「我從沒穿過它。」她慢慢的說。

「坐下，米莉耶——我想解釋一兩件事，在我離開之前，如果可以的話。」

我坐在她的床緣，

她深深嘆了口氣——

比我能想像的還久。

「我快要走了，

我發現了一些事情。

啊，我教妳變好——可是我教錯了。」

「什麼意思，媽？」

「好吧——我總在想——

好女人從沒有好報，

她只是在對別人盡心力。

做這、做那，總要
達到每個人的需要並把
妳的需要擺得最低。」

「也許有一天妳會收買他們的心，
但事實永不如此。
我的生活就是這樣—為妳父親做事，
為妳兄弟、姊妹做事，為妳做事。」

「啊！米莉耶，米莉耶，那沒有好處——
對妳——對他都一樣。妳不明白嗎？
我對妳來說是錯中錯，
我完全沒有為自己要求什麼。」

「妳的父親在另一個房間，

他很激動，瞪著牆壁——
當醫生告訴他時，他表現
糟透了——他來到我床邊搖我
不管我只剩一口氣。
『妳不能死，妳聽到了嗎？妳死了我會變成什麼樣子？』」

「『我會變成什麼樣子？』
會很難過日子，對了，如果我離去
他甚至找不到煎鍋，妳知道。」

「對你們這些孩子——
我是免費的司機，載每個人到每個地方。
我最早起床最晚睡，
一週工作七天。
我總是拿出著火的土司，

吃最小塊的派。」

「我看著妳的兄弟們現在如何

對待他們的妻。

那使我難過，因爲那是我

教他們的，他們學了下來。

他們學到，女人的人生

是爲了給予。

爲什麼，我省下每一塊錢，

爲你們買衣服，爲你們買書，

即使那並不必需——

我甚至記不得我曾

自己到市中心去買漂亮的東西給自己。」

「直到去年我才得到那件紅衣服。

我發現我有二十塊錢，
沒啥值得說的。
我本來要去付一筆額外的清洗費用
但我卻帶回家一個大盒子。
之後妳的父親對我說，
「妳眞的要穿像這樣的東西嗎——
妳是不是要去看歌劇？』
他是對的，我想。
除了在服裝店，我再也沒有
穿上這件衣服。」

「哦，米莉耶—從前我總是認爲——
如果你在世上一無所取
在來生會擁有一切。但
我不再如此相信了。

我認為上帝會要我們擁有一些東西——
此生，此世。」

「而且我要告訴妳，米莉耶，
如果有奇蹟能讓我離開病床，妳會看到
一個不一樣的母親，因為我想——
啊，我扮演了同樣的角色這麼久，
對我可能很難。
但我會學，米莉耶，
我會學。」

它掛在衣櫥裡。
媽的紅衣服，當她臨死時，
像一排黑色舊衣服中的裂縫，
而她穿著黑色舊衣磨光了一生。

最後她對我說了這些話——
「給我個面子，米莉耶，
別追尋我的腳步。
答應我。」
我答應了。
她停下她的呼吸。
然後她得到她的回報
在死亡裡。

作者佚名

由凱薩琳·柯林森博士提供

態度——人生的選擇之一

所謂快樂人，不是處在某種特定情況下的人，
而是持著某種特定態度的人。

休・當斯

我的妻，泰瑞，和我在十二月買了一輛新車。即使我們可以買到機票從加州飛到休士頓和她的家人過聖誕節，我們還是決定啓用新車開到德州去。我們打包上車，和祖母度過一個愉快的星期。

我們過得很愉快，在祖母家留到最後一分鐘才肯走。回程時我們必須趕路回家，所以我們不眠不休的趕路——一個人開車，一個人睡覺。經過一場幾個小時的大雨後，我們在深夜抵達家門。我們累極了，只想洗個熱水澡，睡在柔軟的床上。我感覺不管我們再怎麼累，當晚也該把東西從車上卸下來，但泰瑞只

想趕快洗澡睡覺，所以我們決定，早上再說。

早上七點，我們起床梳洗後決定把東西卸下車。當我們打開前門時，我們的車道上卻看不到車子！泰瑞和我面面相覷，看看車道，又彼此對看，又回頭看車道，又彼此對看。然後泰瑞問我一個妙透了的問題：「喂，你把車停在哪裡？」

我笑著回答：「就在車道上。」我們很確定車停的地方，但我們卻還往外走，希望看到車子奇蹟似的自己停到車道外，在街邊停下，但沒有。

悵然若失的我們打電話叫警察來做了筆錄好啓動我們的高科技追蹤系統。又爲安全計，我們也打電話給追踪系統公司。他們保證他們有百分之九十八的機率在兩個小時內找回失車。兩小時內，我一直打電話問：「我的車在哪裡？」「我們還沒找到，哈利斯先生，但在四小時內還是有百分之九十四的機會。」

又過了兩個小時，我又打電話問：「我的車呢？」

他們再次回覆：「我們還沒找到，不過八小時內還是有百分之九十的尋獲率。」

那時我告訴他們：「你們的這些機率在我機率微渺時對我而言毫無意義，所

以請在你們找到它時打電話給我。」

那天稍晚，電視廣告上一個汽車製造商問：「你難道不喜歡在你的車道停著這樣一輛車子嗎？」

我回答：「是的！昨天我就做了這件事。」

一天毫無消息使泰瑞漸漸變得更加煩惱，尤其當她不斷想起車子裡放了多少東西時——我們的結婚相簿、絕版的上一代家庭照片、衣服、所有的照相器材、我的皮夾和支票本，只有幾張簽上了名字。沒有這些東西我們還是活得下去，但他們在那時似乎很重要。

充滿焦慮與挫折的泰瑞問我：「我們的新車和東西都丟掉了，你怎麼還能開玩笑？」

我看著她，說：「親愛的，我們可以因丟了車而煩惱，也可以因丟了車而快樂。總而言之，我們的車被偷了。我眞的相信我們可以選擇態度和心情，現在我選擇讓自己快樂。」

五天後，我們的車回來了，車上的東西失去蹤影，車子的損壞也超過三千美元。我把它送修，並因爲聽到他們會在一週內把它修好而感到高興。

這一週結束時，我甩掉了租來的車，把我們的車開回家，感到十分興奮，且鬆了口氣。不幸的，這樣的感覺很短暫。回家的路上，我在我們公路出口的交流道上撞上另一部車。我沒有損害到別人的車，但卻折損了我們的車——另一筆三千美元的損失；還有一筆保險理賠等著我。我把車子開進我們的車道，但當我企圖出去觀察損失情況時，左邊的前輪漏了氣。

當我站在車道上看著車，自己打自己，責怪自己撞了別人的車時，泰瑞到家了。她走向我，看了車，又看著我。她看我自己打自己，就用雙臂抱著我，說：「親愛的，我們可以因有一部撞壞的車而煩惱，也可以因有一部撞壞了的車而快樂。總之，我們有一部撞壞了的車，所以我們選擇快樂吧。」

我打從心裡笑出聲來宣布臣服，一起享受了美妙的晚上。

鮑伯·哈利斯

卷五　學與教

距今五十年後你開哪種車子，
你住哪種房子，
你銀行户頭有多少錢，
或你的衣服看來怎樣都不重要。
但世界可能會因你對一個孩子的生命
很重要而變得更好。

匿名

神奇的鵝卵石

習慣性的思考構成我們的生活。它對我們的影響力勝過我們親近的社會關係。我們最信賴的朋友也無法像我們所懷的思想一樣建構我們的生活。

J·W·提供

「爲什麼我們要學這沒用的東西？」在我幾年來教課所聽到的抱怨與疑問中，這句話是最常出現的。我會用下列的傳奇故事來回答這個問題。

有天晚上，一群游牧民族正想紮營休息時，忽然被一束強光所包圍。他們知道神要出現了。帶著熱切的期待，他們等待著來自上天特別爲他們顯示的重要訊息。

最後，聲音說話了：「盡力收集鵝卵石。把它們放在你們的鞍袋裡。再旅行

一天，明晚你們會感到快樂，同時也會感到悲傷。」

它離開後，這些游牧民族都感到失望與憤怒。他們期待的是偉大宇宙眞理的揭祕，使他們足以因此創造財富、健康或其他世俗的目的。但相反的他們卻被吩咐去做這件卑賤而無意義的事。但無論如何，來訪的亮光仍促使他們各自揀拾了一些鵝卵石，放在他們的鞍袋裡，雖然他們並不怎麼高興的抱怨著。

他們又走了一天路，當夜晚來臨開始紮營時，他們發現鞍袋裡的每一顆鵝卵石都變成了鑽石。他們因得到鑽石而高興極了，卻也因沒有收集更多的鵝卵石而悲傷。

我在早期從事教學時曾有一個學生，名叫阿倫，印證了這則傳奇的眞理。阿倫念八年級，在被退學的邊緣擺盪，擅長製造麻煩。他專門欺凌弱小，更是個偷竊高手。

每天我都會叫我的學生背一則偉大思想家的格言。在我點名時，我會用一則格言來點名，如果學生想算出席的話，必須說完這則格言。

「艾麗絲‧亞當斯——沒有所謂失敗，除非……」

「你不再嘗試。我來了。許拉特先生。」

所以，在這年結束時，我的年輕學生已經背了一百五十則偉大的思想。

「認爲你能，或認爲你不能——總有一個對。」

「如果你看到了障礙物，你的眼睛就已遠離了目標。」

「所謂犬儒學派，就是指那些知道每一件東西的價格而不懂它們的價值的人。」

當然，還有拿破崙・奚爾斯的：「如果你能想到它，相信它，你就能達到它。」

沒有人比阿倫更愛抱怨這個每日的例行作業——直到他被退了學。我有五年沒看到他，但有一天，他打電話來給我。他假釋出獄後，在附近的某一所學院修習一門專業技術的課程。

他告訴我，在他被送進少年法庭後，被載到加州青少年法院監獄服刑，他變得對自己非常沮喪，拿了一把刮鬍刀割腕自殺。

他說：「你知道，許拉特先生，當我躺在那兒，生命一滴一滴地流失時，我忽然想到有一天你叫我寫二十次的那句無聊格言：『沒有所謂失敗，除非你不

再嘗試。』忽然它對我起了作用。只要我活著，我就不算失敗，但如果我讓自己死翹翹，我絕對是個失敗的死人。所以我用僅餘的力氣求救，開始了新生活。」

在他聽到這句格言時，它是個鵝卵石。當他身處危機需要指引的那一刻，它變成了鑽石。所以我想對你說，盡量收集鵝卵石，你就可以期待一個充滿鑽石的未來。

約翰・韋恩・許拉特

我們是白癡

我開始教書的第一天，課程進展得相當順利。我下定決心抱持著當老師就要像勒住馬腹的肚帶一樣的態度。然後我上了這天的最後一堂課——第七堂課。

我走向教室時，就聽到課桌椅碰撞的聲音。在轉角處，我看到一個男孩把另一個按在地上。

「給我聽著，你這個白癡！」躺在下面的那個咆哮著，「我可沒跟你姊姊怎樣！」

「你離她遠一點，你聽見了嗎？」上頭的男孩正在盛怒中。

我如臨大敵般的要他們停止打鬥。忽然間，有十四雙眼睛盯著我瞧。我知道我看來不太有自信。這兩個男孩互看一下，又看看我，慢慢的回到座位上。這時，對面班級的老師把頭倚在門邊，對我的學生大吼，要他們坐下、閉嘴，叫他們照我的話做。這讓我感到相當的無力。

我企圖把我準備的課程教給他們，但卻面對了一群不友善的面孔。課程結束

後，我叫那個參與打架事件的男孩留下來。他叫馬克。

「女士，別浪費妳的時間了。」他告訴我，「我們都是白痴。」然後他就揚長而去。

我大受打擊，跌坐在椅子裡，並質疑我是否該當老師。像這樣的問題可以解決嗎？我告訴我自己，我只吃一年苦頭，在明年夏天我結婚以後，我可要找個報酬高的差事做。

「他們讓妳頭痛，對嗎？」一個早先曾教過這一班的同事問我。

我點點頭。

「別擔心，」他說，「我曾在暑期班裡教過他們。他們只有十四歲，大部分都沒法畢業。別跟那些孩子浪費時間。」

「你是什麼意思？」

「他們都住在荒郊野外的貧民窟裡，他們是打零工的人和小偷的孩子。他們高興來時才來上學。那個被壓在地板上的男孩騷擾了馬克的姊姊——在他們一起摘豆莢的時候。今天吃午餐時我曾叫他們閉嘴。妳只需讓他們有事忙，保持安靜就好了。如果他們再惹麻煩，就把他們送到我這兒。」

我收拾好東西回家，還是忘不了馬克說「我們是白痴。」時的那張臉。白痴?!那個字在我腦裡啪啦作響——我知道我必須採取某些非常手段。

第二天我要求我同事別到我班上來。我必須用我自己的方式處理。然後我到了課堂上，正視每個學生。然後到黑板上寫下ECINAJ幾個字。

「這是我的名字，」我說，「你們可以告訴我這是什麼意思?」

他們告訴我，這個名字怪里怪氣，他們從沒看過。我又到黑板上寫字，這次寫的是JANICE，幾個學生唸出了這個字，給我一個帶笑的眼神。

「你們是對的，我叫Janice。」我說，「我有學習上的障礙，醫學上叫『難語症』。我開始上學時，沒法正確拼出我的名字。我不會拼字，數字更把我搞昏了頭。我被貼上「白痴」的標籤。沒錯——我是個「白痴」。我還可以聽到那些可怕的叫聲，感覺那種難堪。」

「那妳為什麼會變成老師?」有人問。

「因為我恨人家這麼叫我，我並不笨，而且我喜歡學習。這就是我要講的這堂課的內容。如果你喜歡『白痴』這個稱謂，那麼你就不該聽下去，換個班級吧！這個房間裡可沒有白痴。」

「我也不會讓你輕鬆如意，」我繼續說，「我們必須加油，直到你趕上進度。你們會畢業，我希望你們有人會上大學。我不是在跟你開玩笑—那是我的承諾。我再也不要再聽到『白痴』這個字了。你了解嗎？」

他們似乎正襟危坐了些。

我們確實很努力，而我不久也守住了承諾。馬克的表現尤其出色。我聽到他在學校裡告訴另一個男孩：「這本書眞好。我們不再看小孩子看的書了。」他手上拿的是「殺死嘲笑鳥」。

過了幾個月，他們進步神速。有一天馬克說：「可是他們還是認爲我們很笨，因爲我們說的話不對勁。」我等的那一刻到來了。現在我們開始了一連串的文法研習課程，因爲他們需要。

可是六月到了。他們的學習心依然熾熱，但他們也知道我就要結婚，離開這一州。當我在上課提到這件事時，他們很明顯的騷動難安。我很高興他們變得喜歡我，但氣氛似乎不太對，他們是在爲我即將離開學校而生氣嗎？

在我上課的最後一天，校長在學校入口大廳迎接我。

「可以跟我來嗎？」他堅定的說，「妳那一班有點問題。」他領著我走向穿堂

時正視著前方。

到底出了什麼事？我很猶豫。

我太驚訝了！在每個角落、學生的桌上和櫃子裡都是花，我的桌上更有一個巨大的花籃。他們是怎麼弄的？我懷疑。他們大多很窮，必須靠學校的建教合一課程才能賺得溫飽。

我哭了，他們也跟著我哭。

之後我知道他們怎麼弄的。馬克週末在地方上的花店打工，看見我教的其他幾個班級下了訂單。他提醒了他的同學。驕傲的他們不想被貼上「窮人」的標籤，於是馬克要求花商把店裡所有「不新鮮」的花給他。他又打電話給葬儀社，解釋說，他們的班上要把花送給一位離職的老師，於是他們答應把每個葬禮後用完的籃子給他。

那並不是他們送給我的唯一禮物。兩年後，十四個學生都畢業了，有六個還得了大學獎學金。

二十八年後，我又在那間學校附近的一所高中任教。我知道馬克和他大學的女友結了婚，是個成功的商人。無巧不成書，三年前馬克的兒子還在我任教的

高三優等英文班讀書。

有時我想起自己第一天當老師時我還會發笑。試著想想！我竟曾考慮辭職，去做「報酬更好」的事！

珍妮絲・愛德生・康諾利

童子軍團長挽回大勢

童子軍們爲「親子之夜」的晚會已經準備了好幾個禮拜了。事事已井然就序。牆上掛滿了展覽品，童子軍們個個興高采烈，桌子上也擺滿可口的食物。主持人已經就位。觀衆們在安排下興奮的唱著親子晚會節目的主題曲。

之後就是吉米・戴維斯的致辭。這一刻他已經等很久了。他起立時，看了他母親微笑的臉龐還有他父親呆板而客氣的臉一眼。他滿懷狂熱的開始了。由於聽衆們把注意力焦點集中在他身上，他的演說更加動人心弦。

但事情發生了。他眼前的世界似乎糊成一團。他的聲音慢了下來——結結巴巴——就停了。他漲紅了臉，手臂茫然揮動著，絕望中的他無助地看著他的童子軍團長。

由於曾經演練過，童子軍的領導人已經聽過他的講演許多次，於是他在旁提了詞，使這個小伙子能繼續下去。但無論如何已經不同了——這個傑作遭到了破壞。

吉米又停了——童子軍團長又提了詞。剩下的兩分鐘，看來像童子軍團長在致辭，而不是吉米。

但吉米還是完成了。他在一群男孩中間坐下，知道他自己失敗了，責任更是沈重。男孩的母親臉上明明白白的寫了沮喪，而他父親的臉則因羞恥而痛苦的扭曲著。

觀衆們敷衍的鼓掌，給這個失敗的男孩同情的鼓勵。

但童子軍團長還是站著。他冷靜的眼睛眨了眨。所有的人都聚精會神的傾聽，因爲他沒有說得很大聲。

他在說什麼？

「我比你們高興，因爲我更知道剛剛發生了什麼。你已經看到一個男孩把可能成爲悲慘失敗的事件變成光榮的勝利。」

「吉米可以選擇退縮，退縮會比較容易。在兩百人面前繼續完成這項工作需要相當的勇氣。」

「將來有一天你可能會聽到一場更好的致辭，但我確信你不會看到任何比吉米表現的童子軍精神更好的示範——在困難重重中也得繼續下去！」

人們的鼓掌變得如雷貫耳。吉米的母親驕傲的坐直了身子。男孩父親的臉上又回復了自信。所有的人又變得興高采烈，而吉米，不吐不快，對他旁邊的朋友說：「基，我眞希望我有一天能變成像那樣的童子軍團長。」

華特．麥克匹克

由馬丁．盧提供

現在的年輕人怎麼搞的？

如果你對待一個人……以你期待他和他可能成就的樣子對待他，他就會變成那個樣子。

歌德

我們的年輕人長得越來越快了，他們需要我們的幫忙。

但我能做什麼。

我心裡的聲音質問我，爲什麼我不能成爲這一代年輕人的典範。我不是心理學家，我也確信我沒有像政治家一樣創造巨大影響力的能力。

我是一個工程師。我在維吉亞大學取得電子工程學位。現在我正爲Hewlett-Packard公司做事。

但這個想法從沒離開過我。

所以，我終於決定做些事。那天早晨，我打電話給地方附近的高中。我和校長談話，告訴他我希望能有所協助。他受寵若驚，邀我在午餐時間到學校來。我接受了。

中午，我開車到學校去，腦子裡充塞著各種想法：「我可以和他們搭上線嗎？學生們可願意和一個外來的陌生人談話？」

好多年來我沒踏進高中校園了。當我走在校園大道上時，學生們興奮的吵成一片。人很多。學生們比我想像中要老。他們大多穿著鬆垮垮的衣服。

最後，我來到一〇三教室，我要在那兒和學生分享一些內心的感覺。我深呼吸了一口氣，打開門。裡頭，有三十二個學生在吱吱喳喳的說話。我一走進去，他們就停止了。所有的眼睛注視著我。

「嗨，我是馬龍。」

「嗨，馬龍，歡迎。」咻！我鬆了一口氣。他們接受我了。

在一小時的會晤中，我們談論如何設定目標、學校的重要性、如何以非暴力的方式解決問題。當象徵下一堂課的鈴聲響起時，我還不想結束。時光比從前任何時候都過得快，已經到了我該回去工作的時刻了。我簡直不相信我有多高

興。我充滿活力的回到工作崗位上。

這件事持續了幾個月。我在這所學校發展了不少關係。學生們和我相處融洽，但也不是所有的學生都因我的到來而開心。

事實上，我說的那人是保羅。

我永遠忘不了保羅，他是個看起來眞的很酷的傢伙，六呎二吋高，二二〇磅重。他才剛轉學到這個學校來。傳說他才剛從少年法庭的拘留中心出來。其實，老師們都很怕他。爲什麼呢？因爲兩年前，他才因在爭執中刺了英文老師胸前一刀而被判刑。每個老師都讓他自己做自己的事。他總是最後一個進入課堂，從不帶書，因爲他根本不想上學。

有時，他會在我的午餐課程中不發一言的坐著。我想他來的唯一理由是想來「雞蛋裡挑骨頭」。

每次我想要他加入時，他只是用銳利的眼神瞪著我。他對我口出惡言，好像一顆就要爆發的炸彈。但我並不打算放棄。每次他來，我就企圖說服他加入討論，但他並不感興趣。

有一天，我受夠了，他引燃了這枚炸彈。

在這一特別的課程中，我們正討論我們的「理想大學」。學生們從雜誌中剪下他們目標中的圖片，把它們貼在剪貼簿上。保羅進來時，我們已經討論了二十分鐘了。

我徵求願意和班上同學分享他或她的理想大學的志願者。茱莉亞，一個小女孩站了起來，開始分享她的夢想。我很高興茱莉亞站了起來，因爲當我第一次看到她時，她是如此的害羞。

「我要上醫事學校當醫生。」

忽然間，笑聲從教室後頭迸出來。

「拜託妳，當醫生？認清事實吧。妳不會有出息的！」

所有的人都轉頭看後面。保羅邊笑邊說。

我很震驚。我不相信會發生這樣的事。全班鴉雀無聲。我該怎麼辦呢？我的腎上腺素分泌越來越旺盛了。

「保羅，你錯了！你爲什麼要打擊別人呢？」

「喲，老師！你敢說我？你是在侮辱我嗎？你可知道我是誰？看我，我可是個天生的土匪。別搞毛了我，否則就有你好看。」

他開始走向門。

「不，保羅，那沒用，你沒有權利打擊別人。夠了，你不需要留在這兒。你如果不能成爲團體的一分子，就走吧！我們這兒是個互助合作的團體。而且，保羅，你有那麼多潛力。我們需要你的參與，你一定有很多東西可以提供給大家。我關心你，也關心整個班級，所以我才到這兒來。你願意加入大家嗎？」

保羅看了看他的肩膀，並狠狠的瞪了我一下。他打開門走了出去，把門重重的甩上。

整個班級都爲這齣戲感到震驚，我也是。

下課後，我收拾好東西走向停車場。當我走到我的車子前，有人叫住我。我轉身，出乎意外的，我看到保羅。他靜靜的走向我。我被恐懼的心境籠罩了。我有點想找人幫忙，但事情發生得太快，我根本無法動彈。

「史密斯先生，你記得你對我說的話嗎？」

「是的，保羅。」

「你的意思是說，你關心我，想要我成爲群體中的一份子？」

「是的，保羅。」

「好吧，從沒人對我說他們關心我。你是第一個這麼說的人。我想成爲群體的一份子。謝謝你這麼關心我支持我。明天上課前我會向茱莉亞道歉。」

我簡直不能相信我的耳朵。我太驚訝了。幾乎說不出話來。

當他走開後，快樂的淚水從我的眼中流下來，開始滑落我的臉頰。那天我決定貢獻我的一生鼓勵年輕人了解他們眞正的潛力。

馬龍・史密斯

雪中的零

這個悲劇是在一個寒風徹骨的二月早晨開始的。我開車到學校去，跟在密爾福地區巴士後頭。它忽然在一家沒生意做的旅館面前煞車停下來，就像每個下雪的早晨一樣。而我卻被這預料之外的停車搞昏了頭。一個男孩踉蹌走出巴士，搖晃了一下，步履蹣跚的他跌倒在街道鑲邊石的雪上。巴士司機和我同時趕到了他身旁。他單薄無血色的臉比雪還白。

「他死了。」司機喃喃自語。

我一分鐘也不遲疑。我很快的看了一張從巴士上往下看的，受驚的年輕臉龐一眼。

「找醫生！快！我會從旅館裡打電話出去。」

「沒有用的。我告訴你，他死了。」駕駛往下看著動也不動的男孩。「他沒說他不舒服，『我很抱歉，我必須在這旅館下車。』就這樣。他又客氣又謙虛。」

當這個消息傳遍時，喧嘩的校園忽然失去了聲音。我經過好幾群女孩子。

「他是誰？是誰死在往學校的路上？」我聽到她們其中一個輕聲低語。

「不知道他的名字，他是密爾福地區的孩子。」她回答道。

在教職員室和校長辦公室的情況也差不多。

「我希望你去告訴他的父母，」校長告訴我，「他們沒有電話。總之，一定要有學校的人親自去告訴他們。我會代你的課。」

「爲什麼是我？」我問，「你去不是比較好嗎？」

「我不認識這個男孩，」校長條理分明的說，「而且在去年二年級學生的個人表格中，我注意到你是他最喜歡的老師。」

我在風雪中行駛，沿著顛簸的峽谷小路到伊凡斯區，一路想著這個男孩，克里夫伊凡斯。我是他最喜歡的老師?!那麼，爲什麼兩年內他對我說不到兩句話呢？我可以用我心裡的眼睛記得，他在我下午的文學課中一直坐在最後一排的位置。他獨來獨往。

「克里夫・伊凡斯，」我對自己咕噥著，「一個從不笑的孩子。我從沒看過他笑過一次。」

這大農場的廚房既乾淨又溫暖。我到底還是說出了這個消息。伊凡斯太太慌

亂的拿了把椅子過來：「他從沒說他哪兒不舒服。」

他的繼父鄙夷的說：「從我搬到這兒來之後，他就什麼話也沒說。」

伊凡斯太太起身，把一只平底鍋推進爐子後面，開始解開圍裙。

「撐著點，」她的丈夫吼著。「在我到鎮裡去前我得吃早餐，反正現在做什麼也於事無補。如果克里夫沒這麼蠢，他會告訴我們他不舒服。」

學校下課後我坐在辦公室裡，瞪著我面前的各種記錄發呆。我即將要關閉這個男孩的檔案，並在學校報紙上寫下他死亡的新聞。幾乎空白的稿紙似乎在嘲笑我的努力。

「克里夫・伊凡斯，白人，並沒有受到繼父合理的養育，有五個半的兄弟和姊妹。」貧瘠的資訊和全是D的成績單是這些紀錄提供的所有內容。

克里夫伊凡靜靜的走進學校大門，在傍晚又靜靜的離開，全部的事實就在這裡。他從未參加社團，從沒加入任何團隊遊戲，從沒到辦公室來過。直到目前，我還沒聽到他做任何一件有趣的、頑皮吵鬧的事情。沒有人注意過他。

你怎麼將一個男孩歸零呢？但學校的記錄多半給我這樣的答案。一、二年級老師下的註解寫著：「可愛、害羞的孩子；膽小但熱心。」然後三年級老師的

筆記就對他展開了攻擊。有個老師以工整筆跡寫道：「克里夫不講話、不合作，學得很慢。」另一個書呆型的老師則寫——「笨」、「弱智」、「低智商」。他們都對。這男孩的智商到九年級只有八十三。但在三年級時卻是一〇六。一直到七年級分數才低於一〇〇以下。即使是膽小、可愛的小孩也是有彈性的。要打碎他們需要時間。

我用力的打字，寫了一封措辭強烈的報告，指出教育如何對待克里夫．伊凡斯。我把一份報告重重的摔在校長的桌上，另一份放進令人悲傷的檔案櫃裡，重重的關起檔案，並在離開辦公室返家時大力甩上門。但我並沒覺得好過些。有個小男孩仍亦步亦趨的跟著我，一個面容憔悴、穿著舊牛仔褲、單薄的男孩，他睜著大眼睛尋找了很久，終歸寂滅。

我可以想像有多少次他被團體排斥，有多少孩子以竊竊私語將他排除。我可以看見那些臉龐，聽到那些一再傾訴的聲音，「你是笨蛋。你是笨蛋。你什麼都不是，克里夫．伊凡斯。」

孩子是易於相信別人的動物。克里夫無疑的相信他們。忽然間我明白了：當克里夫．伊凡斯到最後已一無所有，他就跌在雪地中，離開這世界。醫生們可

能會把「心臟衰竭」列爲死因，但我不會改變我的想法。

作者佚名

一次簡短的接觸

我的朋友查理自己走了進來，關上了後門。他巡視了我的冰箱，拿出一罐百威啤酒，坐在廚房的椅子上。我面帶笑容的看著他。

他的面容讓人震驚，像鬼或面對死亡的人一樣。他的眼睛鑲著黑眼圈，他的頭搖來搖去，好像他在跟內心的聲音對話一樣。最後他一口氣喝乾啤酒，才將眼睛正視我。

我告訴他，他看來糟透了。他承認，也補充說，他感覺比我說的更糟、更震撼。然後，他把他不凡的故事告訴我。

查理是地方高中的美術老師。他擔任那個職位多年，並備受學生愛戴，使同事們都心生艷羨。在這特別的一天似乎有從前的學生來拜訪他，在離校四、五年後回來，展示她的婚禮戒指、新生的嬰兒和她的錦繡前程。

查理停了下來，喝了啤酒。就是這樣的，我想，他面對了他自己的死亡。做老師的最能感到時光飛逝，才一眨眼功夫，昨天一個女人，今天已經是一個母

親。

「不，不是這樣，眞的。」查理告訴我，「不是與死亡有關的問題，也不是看到鬼。」那是一堂課，他解釋道，有關謙遜問題。

來訪的人叫安琪拉，早先曾上過五年藝術課程。查理記得她是個安靜、單純的女孩，不愛說話，但總是對友善的提議報以害羞的微笑。

現在她是個有自信的年輕女子，一個母親，她已經會挑起話頭而不只是回答問題。她胸有成竹的來看她從前的美術老師。在禮貌性的問候後就開始進入主題。

「當我唸高中時，」她解釋道，「我的繼父強暴了我。他打我，晚上還到我床上來。很恐怖，我深深的受到侮辱。我沒有告訴任何人，沒有人知道。」

「後來，在我念初中時，我的父母在周末出去度假，第一次把我一個人留在家裡。我計劃要自殺。」

「他們在星期四晚上離開，所以整個晚上我都在準備。我做了家庭作業，寫了一封長信給我媽，打理我的所有物品。我買了一捲寬膠帶，花了一個小時把外面的門和停車間的窗子從裡頭封起來。我把鑰匙放在我媽車上的內燃機中，把

我的玩具熊放在乘客的座位，然後就上床睡覺。」

「我的計劃是——照往常一樣，星期五到學校去，一樣搭巴士回家。我會留在家裡等父母的電話，和他們講話，然後到停車間去點燃引擎。我希望直到星期天下午我父母回家前沒人發現我。我寧願死也要自由。」

安琪拉執行著她的計劃，直到第八堂課，查理——她的藝術老師，坐在她隔壁的位子上，看了看她的作品把一隻手臂繞著她的肩。他和她說了些話，傾聽她的回答，並輕輕的捏了捏她，又到別的同學那兒去了。

安琪拉在那個星期五下午回家，給她的母親寫了第二封迥然不同的信。她把停車間的膠帶移開，並把她的玩具熊和其他所有物打包好。然後她打電話給她的牧師，那人立刻來了。她離開了父母的家，再也不回頭。她再度生氣蓬勃並把它歸功於查理。

故事接近了尾聲，查理和我聊著有關學校警告老師別碰學生的事，在學校裡發展社交只是浪費時間的說法。也有些學生有時會排斥這樣的對待。多少次，我們懷疑，我們在學生需要時輕輕拍過他們嗎？我們沈默的坐著，然後，我們明白了這個故事的震撼性和複雜度。這樣的對待，在學校、教堂甚至購物中心

中都會發生幾千次。沒什麼特別的。像查理這樣的成人自然而然的，不假思索的這麼做。

查理提出了他的解釋。安琪拉在上藝術課時已下了決心，如果一個老師都能友善的關心她，有時間停在她身邊，和她接觸，看著她和傾聽她，那麼一定有其他人會關心她。

當我摩擦我的手驅走雞皮疙瘩時，查理把頭枕在手上。他看著我，繼續說著他新的一課—謙遜。

「南茜，」他非常安詳、非常堅決的說：「讓我覺得最自卑的是，我甚至不記得這個事件！」

多年過去了，她回來告訴他，都是他救了她的命。

南茜・摩爾曼

哈蒂小姐

人生中最神秘的相遇是在有人認出我們和我們的能力，點亮我們最高潛能的電路時。

魯斯提・柏卡斯

我一出生就是個有學習障礙的孩子。我想像力錯亂的情況被稱為「難語症」。得了難語症的孩子學單字學得很快，但他們並不知道他們的理解方式和常人不同。我感覺到我的世界多采多姿，充滿著形形色色的「單字」，並發展了相當多奇特的字彙，使得我的父母對我的學習能力相當樂觀。讓我害怕的是，我在一年級時就發現字母比單字來得重要。難語症的小孩把字母前後顛倒，沒法像別人一樣照正常方式排列它們。所以我的一年級老師說我「學習有困難」。

她把她的觀察寫下來在暑假前交給了我的二年級教師，以使她在我上課前能

夠想出針對付我的特別教法。我上了二年級，可以知道數學問題的答案，卻對得到答案的繁複過程無能爲力，而我也發現，繁複的過程比答案重要。這時我對學習過程完全無助，變成一個說話結巴的人。因爲無法直截了當地說話，無法完成一般的數學題目，也無法適切的拼出字母，我變成了一個災禍。我創造了在每堂課都須坐在最後一排的悲劇，離開老師的視線。萬一被叫到了，我就含糊的回答：「我不—不—知—知道。」我的命運在此凝結了。

我的三年級老師在我上三年級前就知道我不會說、不會寫、不會讀也不會做數學，所以她對應付我毫不表樂觀。我發現裝病可以作爲讓我順利畢業的武器。這使我可以把時間花在駐校護士那邊，而不必待在老師前頭，也可以發現一些模稜兩可的理由留在家中或被送回家。我的三年級和四年級就是如此的悲劇。

到了五年級我的命運改變了，上天把我放在嚴師哈蒂小姐的監管之下——她是美國西部最嚴格的小學老師。她曾經徒步走過洛磯山脈；這個了不起的女人，對我來說就像高聳的火焰。她把她的雙臂環著我，說：「他不是學習有困難，他只是與衆不同。」

現在人們看待與衆不同的孩子的潛能比從前把他們當笨蛋看樂觀得多。她說：「我跟你媽談過，她說當她唸東西給你聽時，你記住的是圖像化的東西。你只是再被要求去組合文字和片斷。叫你大聲唸東西似乎也成問題，所以如果我在課堂上叫你讀課文前，我會先讓你知道，那麼你前一天回家時就可以記下它，然後我們就可以在其他孩子面前複製出來。你媽還說只要你看過一些東西，你就可以深刻了解並談論它，但當她要你逐字讀它或寫下來時，你就會面對字母不知所措、不知所云。所以，當我要其他孩子朗誦和塡寫卷子時，你可以回家，減輕你的壓力，用你自己的時間做它，第二天再把它帶回來給我。」

她也說：「我注意到你對表達自己的思想會猶豫而恐懼，而我相信每個人的意見都値得參考。我看淸楚這件事，而我不確定會成功，但它可能幫得上忙，有個人名叫戴莫斯席恩斯——你可以唸出戴莫斯席恩斯嗎？」

「戴—戴—戴……」

她說：「很好，你會做到的。他有一條難以駕馭的舌頭，所以他把石頭放在嘴裡，不斷練習，直到他能控制。因而我拿了一些彈珠，它大到你呑不下去，我已經洗過了。從現在起，每當我叫你來時，我要你把它們放在嘴裡，忍耐著

說出話來，直到我能聽見和了解你說的話。」在她堅強的信任和對我的了解支持下，我冒險犯難，馴服了我的舌頭，終於能夠說話了。

第二年我上了六年級，很高興又是哈蒂小姐當導師。我有幸受益兩年的時間在她的教導下。

多年來我一直和哈蒂小姐保持連繫，而幾年前知道她罹患了末期癌症。當我得知她寂寞的和她唯一的特殊學生在千里之外，我不假思索的馬上買了機票，排（至少是比喻上的）在幾百個她的特殊學生之後——這些人也一直跟她保持聯絡，並已爲重新開始他們的聯繫而展開一趟朝聖之旅，希望在她人生的最後階段把他們的情感帶給她。這群人是非常有趣的組合—三個美國參議員、十二個州議員和一群各公司的高級行政主管。

有趣的是，在資料表中，我們發現我們之中四分之三的人在進入五年級時都被學校教育嚇住了，相信我們腦袋有問題，被命運和幸運摒除。而當我們接觸哈蒂後，她使我們相信，我們有能力、卓越不凡，也有影響力，如果我們嘗試的話，我們有能力創造迥然不同的人生。

史蒂芬·葛林

改變一生的禮物

泰迪・史托拉德理所當然的被認爲是對學校最不感興趣的人之一；髒兮兮、縐巴巴的衣服；從來沒梳過的頭髮；沒有表情的臉；無神的、模糊的、失去焦點的眼神。每次湯普森小姐和泰迪說話時，他總是以「是」或「不是」冷淡的回答。沒有吸引力、不求長進，而且疏離，他是個完全不討人喜歡的小孩。

即使他的老師說，她給同班同學的愛是一樣的，但在內心裡她自己都不能完全相信。每當她在改泰迪的卷子時，她會從把錯的答案打叉中得到某種不當的樂趣，而當她將他的卷子評爲F時，她也總是眼光銳利。她應該更詳細了解；她有泰迪的求學記錄，而她比她願意承認的更該知道泰迪。記錄上寫著：

一年級：泰迪表示願意做作業並改善態度，但他家中情況很差。

二年級：泰迪可以做得更好些。他媽病得很重。他沒法得到家人的幫助。

三年級：泰迪是個好孩子，但太嚴肅了。他學得很慢，他母親今年去世了。

四年級：泰迪學得很慢，但行爲規矩。他的父親毫無配合的興趣。

聖誕節到了，湯普森班上的小男孩和小女孩都帶來聖誕禮物堆在她的桌上，圍著她等她拆開來看。其中一個禮物是泰迪・史托拉德送的。她為他給她禮物這件事感到很驚訝。泰迪的禮物用棕色的包裝紙和蘇格蘭紋的帶子包起來。紙上寫著簡單的幾個字：「給湯普森小姐　泰迪敬上」。

她打開泰迪的禮物，掉出了一串俗氣的人造鑽石項鍊，有一半的人造鑽石不見了，還有一瓶便宜的香水。

其他的同學對泰迪的禮物議論紛紛，但湯普森小姐至少意識到她必須立刻戴上項鍊，並把香水灑在手腕上使他們安靜。她把袖子捲起來讓其他同學聞，並說：「聞起來是不是很香？」孩子們接獲老師的暗示，就懂得以「哦！」和「嗯！」來表示同意。

這天課程結束後，其他同學都走了，泰迪躡手躡腳的跟在後頭。他慢慢走到她的桌子旁，輕聲說：「湯普森小姐，湯普森小姐……妳的味道和我媽好像，而她的項鍊戴在妳身上眞的很漂亮。我很高興妳喜歡我的禮物。」當泰迪離去時，湯普森小姐跪了下來，請求上帝原諒她。

第二天，當孩子們到學校時，他們看到了一個嶄新的老師。湯普森小姐變了

一個人。她不再是老師了，她變作上帝的經紀人。她現在是個把自己貢獻給愛她的小孩，變成爲靠她過日子的這些小孩做事的人。她幫助所有的孩子，特別是學習效果差的，尤其是泰迪・史托拉德。在這年結束時，泰迪已突飛猛進。他趕上了大部分的同學，甚至超過了一些人。

她已經很久沒有接到泰迪的消息了。但有一天，她接到了一封信：

親愛的湯普森小姐：

我想讓妳第一個知道。我即將在我們班上以第二名的成績畢業。

愛妳的泰迪・史托拉德

又過了四年，另一封信來了：

親愛的湯普森小姐：

他們剛告訴我，我將以第一名的成績畢業，我想讓妳第一個知道。大學課程並不好唸，但我很喜歡。

愛妳的泰迪・史托拉德

再四年後：

親愛的湯普森小姐：

現在，我成為泰迪．史托拉德醫生了。我想讓你第一個知道，我下個月就要結婚了，就在二十七日。我希望妳能來，坐在我媽坐的位子上。妳是我唯一的家人了；我爸去年已去世。

愛妳的泰迪．史托拉德

湯普森小姐果然參加了婚禮，並坐在本該是泰迪母親坐的位子上。她坐那兒是理所當然的，因為她為泰迪做的事使他永生難忘。

作者佚名

柏蒂．史諾威克和恰克．道吉提供

當人們播種時

當我就讀初中高年級時，有個八年級的小流氓一拳打在我的胃上。它不只傷害了我，使我深感憤怒，我也感覺到難以忍耐的困窘與侮辱，我想奮不顧身的以牙還牙！我打算第二天讓他嚐嚐腳踏車鐵鍊的滋味。

爲了某些理由，我把我的計劃告訴娜娜，我的祖母——這眞是一個大錯誤。她對我演講了一個鐘頭（女人還眞能說話）。她的演說眞是良藥苦口，但我只模糊的記得她告訴我我不需要讓那個人煩到我。

她說：「善有善報，惡有惡報。」我有禮貌的告訴她，我想對她來說是這樣沒錯。我也告訴她，我一直在做好事，但我得到的回報卻很「荒謬」！（當時我沒有用這個字眼。）然而她還是堅持她的立場。她說：「善報終有一天會來臨，而你做的惡事有一天也會有惡報。」

過了三十年，我才了解她話中的智慧。娜娜住在加州拉甘娜山莊的療養院。每個星期二，我都會去看她，帶她出去吃晚餐。我總會看到她穿著整齊的坐在

靠前門的椅子上。我清楚的記得她進療養院之前的上一次聚餐。我們開車到附近一家簡單的家庭式小餐館。我爲娜娜點了一道蒸肉，並爲自己點了漢堡。食物送來後我就開始動口，而娜娜卻沒有吃。她只是瞪著她盤子中的食物，我把盤子挪開，將她的盤子放在我面前，並把肉切成一小塊一小塊，又把盤子放回她前面。當她很虛弱也很艱難的叉了一塊肉放進嘴裡時，我忽然想起了一件事，淚水很快的模糊了我的眼睛。四十年前，當我是一個小男孩時，娜娜也總是把我盤子裡的肉切成碎片，好讓我吃下它。

四十年過去了，但善有善報。娜娜是對的，我們收穫的就是我們播種的東西。

「善行終會有所回饋。」

那個八年級的小流氓呢？

他到九年級還是小流氓。

麥可·布戴爾

卷六　活在你的夢中

未來屬於那些相信他們美好夢想的人。

艾林諾・羅斯福

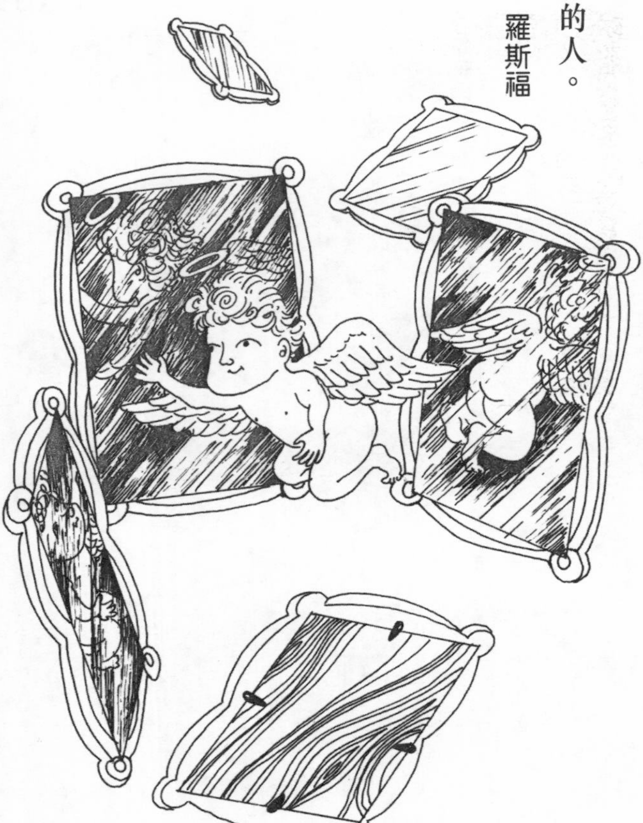

一個小男孩

一個小男孩
看著星星
開始哭泣了
星星說
男孩
你爲什麼哭
男孩說
你如此遙遠
我永遠不可能
碰到你
星星回答
男孩

如果我沒有
在你心中
你就不會
看見我

約翰・馬格利歐拉

一個小女孩的夢

諾言需要堅持很長的時間。而，夢想也是。

在一九五〇年代早期，南加州一個小小的城鎮中，一個小女孩抬著一堆書到小小圖書館的櫃台。

這個小女孩是個小讀者。她父母的書滿屋子都是，但都不是她想看的。所以她每個禮拜都會到座落在一排木造房子中的黃色圖書館巡禮。裡頭的兒童圖書館在一個隱蔽的角落，她就在這個角落裡碰運氣找她想看的書。

當白髮蒼蒼的圖書館員正在爲這十歲的小女孩所借的書蓋上日期戳印時，小女孩渴望的看著櫃台上「新書專櫃」的地方。她爲寫書這件事一再的驚嘆，在書中開創另一個世界是何等的榮耀。

在這個特別的日子，她表明了她的目標。

「當我長大以後，」她說，「我要當一個作家。我要寫書。」

圖書館員檢索了她的戳記後，微笑著鼓勵她，並沒有像其他大人一樣叫小孩

謙虛點。

「如果妳眞的寫了書，」她回答，「把它帶到我們圖書館來，我會展示它，就放在櫃台上。」

小女孩承諾說，她一定會的。

她長大了，她的夢也是。她在九年級時有了第一份工作，撰寫簡短的個人檔案，每寫一個檔案，地方的報社都會給她一塊五毛錢。錢的吸引力比讓她的文字出現在報刊上的魔力遜色多了。

而寫一本書還有很長的路要走。

她編她高中的校內報紙，結婚，有了自己的家，而寫作的火焰還在內心深處燃燒著。她有了一個兼職的工作，把學校發生的新聞編成週報。這使她在養育孩子的同時也可動動腦。

但書還是連影子也沒有。

她又到一家大報社從事全職的工作，甚至還嘗試編輯雜誌。

還是沒寫書。

最後，她相信她有話要說，開始了創作。她把成品送給兩家出版商過目，但

遭到拒絕。於是她悲傷的把它丟在一旁。七年後，舊夢復燃，她有了一個經紀人，也寫了另外一本書。她把藏起來的那本一起拿出來，很快的兩本書都找到了出版商。

但書的出版比報紙慢得多，所以她又等了兩年。有一天，內含這名自由作家新書的郵包寄到她門前，她打開一看，哭了起來。等了這麼久，她的夢終於落實在她的手上。

她記起了圖書館的管理員的邀請和她的承諾。

當然，那個特別的管理員早已去世，小小圖書館也擴張成大圖書館。

這個女人打電話問了圖書館館長的名字。她寫了一封信，告訴她，她的前輩對小女孩的意義有多重大。她在高中畢業後第三十年校慶會回到小鎮來。她寫道，她會願意讓她帶兩本書送給圖書館嗎？這對當時那個十歲的小女孩而言是件大事，似乎也是對鼓勵過小孩的管理員表示尊敬的方式。

圖書館管理員來電表示歡迎。所以她帶了她的兩本書去了。

她發現新的大圖書館就在她當初唸的高中對面；就在那間她和作家永不會用到的和代數奮戰的教室對面，幾乎就在她老家舊址，從前的隔壁人家已經都拆

除了。變成一個市中心，還有這間大圖書館。

館內，圖書館員熱烈的歡迎她。她向她介紹一位地方報紙的記者——就是從前她曾乞求過寫作機會的那家報紙的後進。

然後，她把她的書交給圖書館員，而她把它們放在櫃台上，還附上了解說。淚水流滿了女人的面頰。

她擁抱了圖書館員之後離開了，在外頭照了一張相片，證明夢想成眞，承諾也兌現了——雖然經過了三十八年。

站在圖書館公佈欄的海報旁，十歲小女孩的夢想和這名作家終於合而為一了。上頭寫著：歡迎回來，姜・米歇爾！

姜・米歇爾

售貨員的第一筆生意

離開那些想削弱你企圖心的人。小人總會那麼做，但真正的偉人會讓你覺得，你，會變得很偉大。

馬克·吐溫

一九九三年秋天的某個星期六下午，我急忙趕回家，試圖要把一些後院的工作做完。當我在搖落樹葉時，我五歲的兒子，尼克，過來拉住我的褲腳。

「爸，我要你幫我做個告示。」他說。

「現在不行，尼克，我眞的很忙。」我回答。

「但我需要一個告示。」他堅持。

「爲什麼，尼克？」我問。

「我要賣掉我的一些石頭。」他回答。

尼克總是沈迷在石頭陣中。他一直在收集石頭，人們也把石頭送他。他定期清理放在停車棚裡的那一大籃石頭，各色各樣都有。它們是他的寶貝。

「我現在眞的沒空幫你，尼克。我必須把這些葉子搖下來，」我說，「去找你媽幫你。」

過了一會兒，尼克拿了一張紙來。紙上有他五歲兒童的字跡，寫著「今天售價一塊錢」。他媽幫他做了他的告示，現在他要開始做生意了。他拿著告示，提著一個小籃子，帶著他最好的四塊石頭，走到我們車道的前頭。他把石頭排成一條線，把籃子放在它們後面，並坐了下來。我從遠處觀察，對他的決定很感興趣。

大約半小時過了，沒有任何人經過。我過去看他在做什麼。

「生意如何，尼克？」我問。

「不錯。」他回答。

「這籃子是做什麼的？」我問。

「放錢用的。」他有模有樣的說。

「你的石頭要賣多少錢？」

「每個一塊錢。」尼克說。

「尼克，沒有人會花一塊錢買你的石頭。」

「他們會的！」

「尼克，我們這條街沒什麼人，他們看不到你的石頭。你把石頭收起來，去玩如何？」

「這裡有人，」他回答，「人們在我們這條街上散步或騎腳踏車做運動，也有人開車來看房子。人夠多了。」

我說服尼克不成，就返回後院工作。他很有耐心的守在他的崗位上。又過了一會兒，有輛小貨車駛進這條街。我看見尼克站起來對小貨車高舉他的告示。小貨車在尼克身邊停了下來，一個女士搖下了窗子。我沒法聽到他們之間的交談，但在她轉身面向駕駛的男士後，我可以看見他在掏皮夾！他給她一塊錢，她則步出小貨車，走向尼克。檢查那些石頭以後，她挑了一個，把一塊錢交給尼克，開車離去了。

當尼克跑向我時，我目瞪口呆的坐在後院。他晃著那一塊錢，叫道：「我跟你說我可以賣一個石頭一塊錢——如果你相信你自己，你可以做任何事！」我

取了我的照相機，為尼克和他的告示拍照。這小傢伙信心堅定，也樂於炫耀他能做的事。這是偉大的一課，我們從中學到了很多，到今天也一直談論它。

又過幾天，我太太、湯尼、尼克和我出外吃晚餐。路上，尼克問我們，他是否可以有零用錢，他母親解釋，想要零用錢得盡些家庭義務才行。

「好吧！」

尼克說：「那我會有多少錢？」

「你五歲，一個禮拜一塊錢就可以了。」湯尼說。

後座傳來一個聲音：「一個禮拜一塊錢──我賣一塊石頭就賺得到了！」

羅勃・湯尼和尼克・哈里斯

讓我們再走過花園

生命中最美麗的報償之一便是：
幫助他人的人同時也幫助了自己。

羅夫．瓦爾多．愛默森

我是個演說家，教加拿大的同胞如何以創造性的方法買下眞正的不動產。我的第一屆畢業學生，一個名叫羅伊的警察，用感人的方式使用了我的方法。

這個故事是在羅伊到我班上上課之前就開始的。在他的日常巡邏中，他習慣性的拜訪一位住在一座令人屏息的、佔地五百平方呎的建築中的老紳士，從那棟建築物往外望就是一座山谷。老人在那兒度過大半生，他非常喜歡那兒的視野，可以看到蓊鬱的樹林和淸澈的河流。

羅伊每週拜訪他一次或兩次，當他來訪時，老人都會請他喝茶，他們坐著閒

聊，不然就在花園裡散步一會兒。有一次的會面令人悲傷。老人淚流滿面的告訴警察，他的健康情形已經不行了，他必須賣掉他漂亮的房子，搬到療養院去。

那時，羅伊已經上過我的課，他有了個瘋狂的念頭，希望能夠擷取課程中的創造性方法來想出買下這巨宅的方法。

老人想將這棟沒有設抵押的房子賣三十萬元，而羅伊只有三千美元。當時每月要付五百元房租，警員待遇還算過得去，但對老人和這名充滿希望的警察而言，想要找個主意好讓他們成交似乎很難……除非把愛的力量也算進帳戶裡。

羅伊記得我上課時說的話——找出賣方眞正想要的東西給他。他尋思許久，終於找到答案。老人最懷念的事將是不能再一次在花園中散步。

羅伊說：「如果你把房子賣給我，我保證會在每個月去載你一兩次，帶你回到你的花園，坐在這兒，和我一起散步，就像往日一樣。」

老人微笑了，笑中充滿愛與驚異。老人要羅伊寫下他認爲公平的條件讓他簽署。羅伊願意付出他所有的。原來的賣價要三十萬，而羅伊付的現金只有三千。賣方將二十九萬七千元設定第一順位抵押權，每月付五百元利息。老人很

快樂，他還送羅伊禮物，把整個屋子的古董家具都給他，包括一架孩子玩的大鋼琴。

羅伊不可思議的贏得經濟上的勝利，眞正的贏家卻是快樂的老人和他們之間的親密關係。

雷蒙L・阿隆

心中的十八洞

詹姆斯・納斯美瑟少校夢想著在高爾夫球技上突飛猛進——他也發明了一種獨特的方式以達到目標。在此之前，他打得和一般在週末才練的人差不多，水準在中下之間，九十桿左右。而他也有七年時間幾乎沒碰球桿，沒踏上果嶺。

無疑的，這七年間納斯美瑟少校一定用了令人驚嘆的有利技術來增進他的球技——這個技術人人都可以效法。事實上，在他復出後第一次踏上高爾夫球場，他就打出了叫人驚訝的七十四桿！他比自己以前打的平均桿數還低二十桿，而他已七年未上場！眞是不可置信。不只如此，他的身體狀況也比七年前好。

納斯美瑟少校的秘密何在？就在於「心像」。

你可知道，少校這七年是在北越的戰俘營度過的。七年間，他被關在一個只有四呎半高、五呎長的籠子裡。

絕大部份的時間他都被囚禁著，看不到別人，沒有說話，也沒有任何體能活

動。前幾個月他什麼也沒做，只祈求著趕快脫身。後來他了解他必須發現某種方式，使之佔據心靈，不然他會發瘋或死掉。於是他學習建立「心像」。

在他的心中，他選擇了他最喜歡的高爾夫，並開始打起高爾夫球。每天，他在夢想中的高爾夫鄉村俱樂部打十八洞。他體驗了一切，包括細節。他看見自己穿了高爾夫球裝，聞到綠樹的芬芳和草的香氣。他體驗了不同的天氣狀況──有風的春天、昏暗的冬天和陽光普照的夏日早晨。在他的想像中，球台、草、樹、啼叫的鳥、跳來跳去的松鼠、球場的地形都歷歷在目了。

他感覺自己的手握著球桿，練習各種推桿與揮桿的技巧。他看到球落在修整過的草地上，跳了幾回，滾到他所選擇的特定點上，一切都在他心中發生。

在眞正的世界中，他無處可去。所以在他心中他步步向著小白球走，好像他的身體眞的在打高爾夫一樣。在他心中打完十八洞的時間和現實中一樣。一個細節也不能省略。他一次也沒有錯過揮桿左曲球、右曲球和推桿的機會。

一週七天。一天四個小時。十八個洞。七年。少了二十桿。他打出七十四桿的成績。

作者佚名

目標看得見

往前看時，佛羅倫絲・蕭德威克只看到一座霧般的硬牆。她的身體失去了知覺。她已經游了十六個小時了。

她已是第一個來回游過英吉利海峽的女人。如今，三十四歲的她，設定目標要游過卡塔利那島到加州海岸。

一九五二年七月四日早晨，海水如冰，霧也很濃，她幾乎看不到她的救援船。鯊魚們在她孤單的身旁巡游，牠們只會因受到來福槍射擊而離開。爲了不讓海浪吞噬，她掙扎著——好幾個鐘頭過了——這時有數百萬人在看國家電視台。

跟著佛羅倫絲的其中一條船上，有她的母親和教練在替她打氣。他們鼓勵她，別放棄。她一直沒放棄……直到只剩半哩時，她要求退出。

七小時後她才讓自己的身體暖和起來。她告訴記者說：「我眞不能原諒自己。但如果我可以看到陸地，我就可以做到。」並不是身體虛弱或大冷天氣擊

敗了她，而是霧，使她看不到她的目標。

兩個月後，她又再試了一次。這一次，雖然霧也一樣濃，她很有信心的游向她心中所畫出的目標。她知道，在霧的後頭就是陸地，這一次，她成功了！佛羅倫絲·蕭德威克變成第一個游過卡塔利那海峽的女人，還比男人的紀錄少兩個小時！

作者佚名
由蜜雪兒·波帕提供

牛仔的故事

當我創辦我的電訊公司時，我知道我需要銷售人員來幫我擴張業務。我張貼了告示，希望找到合格的售貨人員，並開始與招募人員會晤。我理想中的銷售人員要從事電訊工業有關的工作、明瞭地方性市場，並對操作不同類型的系統有相當經驗，敬業且自動自發。我幾乎沒有時間來訓練人，所以我雇請的銷售員必須馬上進入狀況。

在招募未來人員令人疲怠的過程中，有個牛仔走進我的辦公室。我從他的穿著知道他是個牛仔。他穿著橫條花布的褲子和很不相稱的橫條花布的夾克、一件短袖的按扣襯衫，胸前的領帶結比我的拳頭還大、牛仔靴、棒球帽。你可以想像我在想什麼：「在我的新公司他可不是我心目中的職員。」他坐在我的桌子前面，脫下帽子，說：「先生，我『金』的希望能夠在電訊『死』業中成功。」他的發音實在糟透了。

我企圖找出一種不太鹵莽的方式，告訴這傢伙他一點也不是我心目中的職

員。我問他背景如何。他說他有奧克拉荷馬州立大學的農業學位，過去幾年暑假他都在奧克拉荷馬的巴特斯村農場工作。他宣稱這一切都已告一段落，現在他想在『死』業上得到成功，他『金』的希望能有機會。

我們繼續往下聊。他相當注重「成功」並希望能有機會，所以我就決定給他一個機會。我說我會和他在一起兩天。兩天內我會教他他想賣出某種小型電話系統該知道的一切。兩天後他就得自己來。他問我，我認為他可以賺多少錢。

我告訴他：「看你的長相和你目前所知道的來看，你最多一個月可以賺到一千美元。」我繼續向他解釋，每組小型電話系統的佣金是二百五十元。如果他每個月拜訪一百個潛在客戶，他大約就可以賣出四組小型電話系統。賣四台，他可以賺一千美元。我立即雇用了他當無底薪的銷售員。

他說這聽來很不錯，因為當農場雇員每個月只有四百元，他已經準備好要賺這筆錢了。第二天早上，我盡可能塡鴨似的把電話「死」業所需的知識告訴這個二十二歲、沒有做生意經驗、不知電訊為何物，也沒有銷售經驗的牛仔。他一點也不像是電訊事業的專業售貨員，也不具備任何我理想雇員的要件，除了他百分之百的冀望著成功。

兩天訓練結束後，牛仔（我一直這樣叫他）走進他的小辦公室。他在一張紙上寫下了四個提示：

一、我要做個成功的生意人。

二、我每個月要拜訪一百個人。

三、我每個月要賣四組電話系統。

四、我每個月要賺一千元。

他把這張紙貼在小辦公室座位前面的牆上，開始工作了。

第一個月結束，他並沒有賣四組電話系統。在他當銷售員的前十天，他就賣出七台電話系統。

第一年，他賺的並不是一萬二千元佣金。他的佣金竟超過六萬元。

他非常驚訝。有一天，他走進我的辦公室，拿著一張契約和一筆電話系統的款項。我問他這一組是怎麼賣出去的。他說：「我只告訴她，女士，即使它只會響，讓妳來接電話，這傢伙也比妳用的那個漂亮多了。於是她就買了。」

這個女人簽了一張金額付款的支票給他，但牛仔並不確定我收不收支票，所以他載她到銀行讓她領現金付款。他把總共一千元的紙鈔拿進我的辦公室，

問：「賴瑞，我做得好嗎？」我向他保證，他做得棒透了！

三年後，他擁有我公司的一半股權。在另一年年底，他又擁有了其他三個公司。那時我們是彼此的事業夥伴。他開著一輛三萬二千元的載人貨兩用車。他穿著值六百元的牛仔式套裝、五百元的靴子以及一只三克拉的馬蹄型鑽戒。他的「死」業已經很成功了。

牛仔怎麼成功的？因爲他努力工作嗎？這確有幫助。他比別人聰明嗎？沒有。在剛開始時他對電訊事業一無所知。那是什麼呢？我相信是因爲他「想要成功」——

他對成功十分關注。我知道那是他所要的，他就去追求。

他負責任。他對他的處境、他自己的過去（農場雇員）負責任。然後他以行動使之截然不同。

他有決心離開奧克拉荷馬的巴特斯村農場，尋找成功的機會。

他願意改變。再做同樣的事他不會得到不一樣的結果。他想做應做的事使自己成功。

他有見識與目標。他看待自己像個會成功的人。他把目標分門別類寫下來。

他寫下四個要完成的目標並把它貼在自己前頭的牆上。他每天都看得到，而且聚精會神的執行。

他執行目標，並堅持不懈。這對他而言並不是一直很容易。他也歷經過挫折。他比任何推銷員吃了更多次閉門羹，被掛過更多次電話。但他絕不因此停下腳步。他繼續往前走。

他要求。他確實很會要求！首先他要求我給他機會，然後他要求每個人，好像他們都要向他買電話系統一樣。他的要求兌現了。他常說：「豬偶爾總會撿到橡實吃。」這意識著，如果你要求得夠多次，最後，人們總會答應。

他在乎。他在乎我和他的顧客。他發現他只要關心客戶超過關心自己，不多久他就不必擔心他自己。

最重要的是，牛仔每天都像勝利者一樣的展開工作！他會敲敲前門，希望有好事發生。不管發生任何事，他相信事情都會跟他想像的一樣。他不預設失敗，只期待成功。我發現如果你希望成功且付諸實行，你多半就會成功。

牛仔已經賺了幾百萬元。他也曾變得一無所有，又再把它們賺回來。在他和我的生命中，我們都相信，一旦你知道且熟習成功的原則，它們就會一再的爲

你賣力。

他的故事可以鼓舞你，他就是不靠任何環境、教育、技能和能力成功的最好證明。他更證明了：我們通常忽略或認爲理所當然的成功原則是必需的。這些都是你想成功的必要原則。

賴瑞・溫吉特

「我們在找一個積極進取、纏功驚人的售貨員，比如說，那個賣你這套衣服的人。」

等什麼？馬上做它！

最大的問題在於：你是否能夠對你的冒險衷心說：「是！」

約瑟夫·坎普貝爾

我的父親曾告訴我，我今天變成怎樣，上帝絕對有充分的理由。我開始相信了。

我是那種凡事都努力的孩子。我在加州的拉加南海灘長大，喜歡衝浪和運動。但就在一般小孩只會看電視和在海灘嬉戲的年齡，我就開始想怎樣變得更獨立，看遍這個國家，計劃我的未來。

十歲我就開始工作了。在十五歲時，我下課後總有一到三個兼職。我存夠了錢買新摩托車，就在我根本不知道怎麼騎的時候；在付清現金和保了一年全險後，我開始學怎麼騎它；我十五歲半，剛剛有學習執照，已買了一輛新的摩托

車。它改變了我的生命。

我可不是在週末才騎著玩的那種人。我非常喜歡騎。每天，每一分鐘，只要有機會，我就騎，平均每天騎一百哩。在多風的山路上享受騎乘的樂趣時，日升和日落都變得更迷人了。即使到了現在，閉上眼睛，我還可以感覺我自然的騎著它，比走路還要自然。當我騎上它時，迎面的冷風讓我感到全然的放鬆。在我探索外在的開放道路時，我的內在也在夢想著我所要的生活。

兩年後我換過五輛新的摩托車，我騎出了加州的道路。我每晚都看摩托車雜誌，有天晚上，一輛BMW的摩托車的廣告吸引了我的目光。一輛泥濘的摩托車，車背上有個大帆布袋，停在巨大的「歡迎到阿拉斯加」的招牌前。一年後，我騎了輛更泥濘的摩托車在同樣的招牌前照了一張照片。是我，就是我！十七歲時我獨自騎車到阿拉斯加去，征服了一千哩塵砂滿佈的公路。

在我出發赴爲時七週，共達一萬七千哩的露營冒險前，我的朋友們都說我瘋了。我的父母叫我等等再說。瘋了？等待？爲什麼？打從孩提時代開始，我就夢想著以摩托車橫渡美國。我心中強烈的聲音告訴我，如果我現在不踏上這趟旅程，我將永遠不能。此外，我何時才會再有時間？我快要到大學攻讀學位

了，再來就是工作，也許將來還會有家庭。我不知道這樣做只是滿足我自己，還是在我心中我感覺到它會使我從男孩變成大人。但我確知那個夏天，我將展開人生的冒險。

我辭去所有的工作，因爲我年僅十七，所以我媽得寫一封許可書讓我踏上旅程。口袋裡放著一千四百元，帶著兩只帆布袋，綁一只放滿地圖的鞋盒子在我的後座，一支保護用的筆型手電筒和滿腔狂熱，我動身前往阿拉斯加和東岸。

我遇到很多人，享受處境惡劣之美和不同的生活型態，在野外炊食並每天感謝上帝賜給我這個機會。有時，兩三天沒看見任何人，只是在無邊的寂靜中騎著我的摩托車，只有風輕拂過我的安全帽。我沒有理髮、在露營地洗冷水，並在旅程中和熊不期而遇七次之多。眞是偉大的冒險！

即使後來我又多次踏上旅途，沒有一次比得上那個夏天。它在我生命中佔有舉足輕重的地位。我再也無法回頭騎著我的摩托車再走訪同樣的那些路、那些山、那些森林和那些冰水。因爲在二十三歲時，拉加那海灘街道上的一場事故中，我被一個喝醉酒的駕駛，也是一個毒品交易者撞倒，使我半身不遂。

在我發生事故時，我身心都很好。我是個全職的警官，在下班時還是騎著我

的摩托車。我結了婚，經濟上有保障。我維護著一切。但就在比一秒鐘還短的時間裡，一生都改變了。我花了八個月躺醫院，離了婚，知道我不可能返回原來的工作崗位，並且得學習如何應付長期的痛苦和面對輪椅，我看見所有的夢想都離我而去。但幸運的，幫助和支持使我有了新夢想並實現了那些夢。

當我回想起我所有的征程，我所旅行過的路，我會想到自己是多麼幸運。每一次我騎上車，我總對自己說：「現在就做。享受你的周遭，即使你在一個烏煙瘴氣的城市的十字路口，你也該享受生命，因為你不能指望下一秒鐘和現在一樣能經過同樣的地方，做同樣的事。」

在事故發生後，我父親說，上帝讓我變成半身不遂必有理由。我相信！它使我堅強。我回去擔任文書工作，買了房子，又結了婚。我同時擁有自己的諮詢事業，並成為演說專家。此後，每當遇到困難時，我會提醒自己記起我所有做過的事，還有還沒做過的事，還有我父親的話。

是的，他是對的，上帝絕對有理由。最重要的是，我提醒自己享受每一天每一刻。以及，如果能做，就做。現在就做！

葛林・麥克英代爾

卷七　克服障礙

若欠缺有待克服的障礙，
在多樣的人生經驗中將失去一些回饋的喜悅。
若欠缺需要跋涉的黑谷，
山頂的時光，只怕不到一半的美妙。

海倫・凱勒

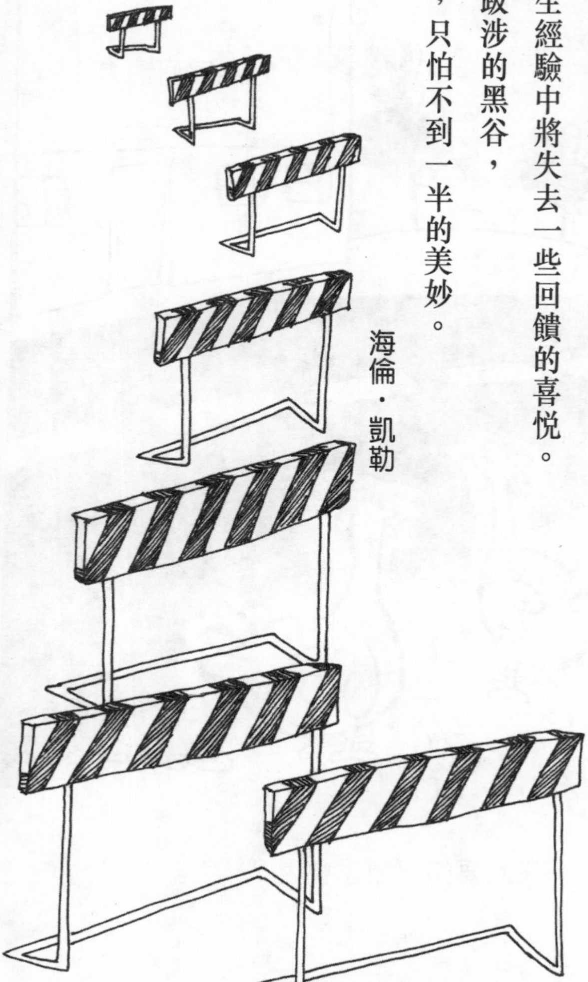

「我們要如何到達會場？」

想想這些

只有在一個人堅持不肯放棄後，努力的花朵才得以完全綻放。

拿破崙·希爾

歷史已經顯示，最令人矚目的勝利者，在凱旋之前，通常會遭遇到難以忍受的障礙。他們勝利，只因不願爲挫敗而氣餒。

B·C·傅比斯

想想這些：

△伍迪·艾倫，獲頒奧斯卡金像獎的作家、製作人以及導演，在紐約大學與紐約市立學院的電影製作科目不及格，他在紐約大學的英文也同樣不及格。

△李昂·尤里斯——暢銷書「出埃及記」的作者，高中時英文被「當」三

次。

△當露西・博兒在一九二七年開始學習成為一位女演員時，約翰・莫瑞・安德森戲劇學校的主要指導老師告訴她：「試看看其他行業吧！其他的。」

△一九五九年，環球影業公司行政主管，在同一次會議上，用下面的話，叫克林伊斯威特以及畢雷諾斯走路。他對畢雷諾斯說：「你沒有天份。」對克林伊斯威特說：「你的牙齒有缺口，你的喉結太突出，而且你說話太慢了。」如你所確知，畢雷諾斯及克林伊斯威特後來都成為電影界的大明星。

△一九四四年，愛默林・史奈利，藍書模特兒經紀公司的董事，跟滿懷希望想從事模特兒工作的諾瑪・珍・貝克（瑪莉蓮・夢露）說：「妳最好改學秘書工作或乾脆結婚算了。」

△麗芙・伍曼，曾獲奧斯卡金像獎提名最佳女主角兩次，卻沒有通過挪威國家戲劇學校的聽力測驗，裁判們告訴她說，她沒天份。

△麥坎・富比士，後來成為世界上最成功的商業發行刊物之一——「富比士」（Forbes）雜誌的總編輯，然而他在普林斯頓大學讀書時，卻與學校報刊的編輯成員無緣。

△一九六二年，有四位青澀而緊張的音樂家，為得卡錄音公司的高級主管們提供演奏錄音的試聽。主管們沒留下任何印象。當場回拒這個叫做「披頭四」的英國搖滾樂團體時，一位主管說：「我們不喜歡他們的聲音，吉他團體已經過時了。」

△保羅・高恩以及納許維勒是得卡錄音公司的藝人及音樂目錄專家，當一九五六年將柏第・哈利逐出得卡公司時，聲稱哈利是「和我工作過的人當中，最沒天賦的人。」二十年後，「滾石」卻稱哈利以及恰克・貝利為「六十年代搖滾樂的重要影響人物。」

△一九五四年，吉米・丹尼是大歐勒・歐普利公司的經理，他在一次演出後，開除艾維斯・普利斯利（貓王）。他告訴普利斯利：「小子，你那兒都去不成……。你應該回去開卡車。」艾維斯・普利斯利後來成為美國最受歡迎的歌星。

△當亞歷山大・格拉罕・貝爾在一八七六年發明電話時，潛在支持者的電話掛也掛不完。展示後，魯勒福・海耶斯總統說：「的確是令人驚奇不已的發明，但是，會有誰想使用呢？」

△湯馬斯・愛迪生或許是美國歷史上最偉大的發明家。當他一次在密西根州波特休朗上學時，他的老師抱怨說他的反應太慢而且又難應付。因此，愛迪生的母親決定將她的兒子帶回家自己教。小愛迪生對科學相當著迷，在十歲時就設立了他個人的化學實驗室。而由於愛迪生無窮的精力與天才（據稱是一分靈感加上九十九分的努力），終其一生，共創造了超過一千三百件的發明。

△當湯馬斯・愛迪生試驗了超過兩千次以上才發明燈泡時，有一位年輕記者問他失敗了這麼多次的感想，他說：「我從未失敗過一次。我發明了燈泡，而那整個發明過程剛好有兩千個步驟。」

△一九四〇年，一位名叫契斯特・卡爾森的年輕發明家帶著他的創意到二十家公司促銷，其中包括一些全國性大公司在內。他們全部拒絕他。而在一九四七年，經過了七年漫長的拒絕後，他終於找到一家在紐約州羅徹斯特的哈羅德公司，願意購買他根據靜電原理的影印創意。哈羅德公司就是後來的全錄公司，他們雙方都賺了大錢。

△約翰・彌爾敦在四十四歲時瞎了，十六年後，他寫出了經典之作——「失樂園」。

△當帕布洛・卡素九十五歲時，一位年輕記者突然問他：「卡素先生，你已經九十五歲了，又是有史以來最偉大的大提琴家，爲什麼你現在仍然一天要練琴長達六小時之久？」卡素先生回答說：「因爲我認爲自己仍然在不斷地進步中。」

△由於多年以來持續地喪失聽力，德國作曲家魯德維克・范・貝多芬在四十六歲時終於完全成爲聾子。不過，他卻在晚年譜寫了他作品中最好的樂章，其中包括五首交響樂。

△在空難中失去雙腿後，英國戰機飛行員道格拉斯・貝德，使用人工義肢重新加入英國皇家空軍。二次大戰期間，他被德國人擄獲了三次，卻也逃了三次。

△年輕的加拿大人，泰瑞・福克斯因罹患癌症而截肢後，他決心要用單腳橫越加拿大國土，希望能籌募美金一百萬元投入癌症研究。後來雖然因爲癌症侵入他的肺部而迫使他半途而廢，不過他以及他所創設的基金會，爲癌症研究募得了超過兩千萬美元。

△葳瑪・魯道夫在家中二十二個小孩裡，排行第二十個。她是早產兒，而且

存活本有疑慮。當她四歲大時，同時染上肺炎及猩紅熱，以致左腳麻痺。九歲時，她除去腳上的鐵製支撐，開始走路。十三歲時，她已經發展出一套醫生認爲是奇蹟的節奏性步法。同一年，她決定成爲一位跑者。

她參加比賽，跑了最後一名。接著幾年的比賽，她也都是跑最後。每個人都叫她放棄，但是她持續下去。有一天她終於贏了一次，接著又一次。從那時起，每一次比賽，她都贏。終於，這位別人告訴她，她將無法再走路的好女孩，陸續贏了三面奧林匹克金牌。

我的母親很早就告訴過我，要相信自己一定可以成就任何想要達成的目標。第一件事就是不靠支撐走路。——葳瑪·魯道夫

△富蘭克林·D·羅斯福，在三十九歲時因爲小兒痲痺症而癱瘓，然而，接著他卻成爲美國最受愛戴以及最具影響力的領袖。他曾經當選過四次美國總統。

△莎拉·瑪蘭，被許多人視爲有史以來最偉大的女藝人之一，當她七十歲時，因爲一次意外受傷而截肢，但是她仍然繼續表演了八年之久。

△擁有超過一百本西方小說，發行逾二百萬本的成功作家，路易士·阿莫，

在第一次出版銷售前，被拒絕了三百五十次。後來他成爲第一位接受美國國會頒發特別獎章的美國小說家，確認了他以傑出作家身份，透過歷史性作品，對國家的長遠貢獻。

△一九五三年，茱莉亞・巧爾德以及她的兩位合著人，簽訂了書名暫訂爲「美國廚房中的法式佳餚」這本書的出版契約。茱莉亞以及她的同事爲這本書花了五年的光陰。但是出版商拒絕了這八百五十頁的手稿。於是她們爲了修訂此書花了一年，出版商還是拒絕了。但是，茱莉亞・巧爾德並未放棄。她及合著人又繼續努力，終於在八年後，一九六一年，找到了新出版商，出版了「精通法國烹飪藝術」一書，如今已經賣了超過一百萬本。一九六六年，時代週刊挑選茱莉亞・巧爾德爲封面人物。將近三十年以後，茱莉亞・巧爾德仍然是這個領域中的佼佼者。

△如果沒有堅持，道格拉斯・麥克阿瑟將軍可能無法獲得名譽及權力。當他申請進入西點軍校時，被拒絕了——而且不止一次，是二次。但是他仍然試了第三次，終於順利進入，從此大步跨進歷史書籍中。

△亞伯拉罕・林肯加入南北戰爭時是上尉，戰爭結束時，卻被降級爲士兵。

△一九五二年，艾德蒙・希拉里想要攀登人類所知高達二萬九千英呎的世界最高峰——埃弗勒斯峰。在他失敗後數週，他被邀請到英國一個團體演講。希拉里走到講台邊，握拳指著山峰照片並大聲說：「埃弗勒斯峰！你第一次打敗我，但是我將在下一次打敗你，因爲你不可能再變高了，而我卻仍在成長中！」在五月廿九日，僅僅一年以後，艾德蒙・希拉里成功地成爲第一位攀登埃弗勒斯峰的人。

傑克・坎菲爾

三十九年——太短——太長——夠長了

喔！最悲慘的事並非夭折早逝，而是我活到七十五歲，卻從未真正活過。

馬丁・路德金二世

從一九二九年到一九六八年只有短短的三十九年。
太短以致採收不到勞動的果實；
太短以致當你的兄弟溺斃時，不能安慰父母；
太短以致不能在母親死亡時安慰父親；
太短以致不能親眼見到你的孩子完成學業；
太短以致不能含飴弄孫；
太短以致不知什麼是退休生活；
三十九年實在太短。

從一九二九年到一九六八年只有短短三十九年，然而

太長以致不能因爲隔離的束縛與歧視的牽絆而不良於行；

太長以致無法在種族不義的流砂上站立；

太長以致收不到平時一天四十通的威脅電話；

太長以致不能生活在持續壓力所產生的炎酷熱氣下；

太長，三十九年就是太長。

從一九二九年到一九六八年只有短短三十九年，然而夠長了。

夠長到一路旅行到印度，在大師的教誨下，學習如何穿越憤怒的牛群，並保持鎭定。

夠長到被警犬追逐，又被消防隊員龍頭中的水柱衝擊，因爲你在戲謔正義還是有方法規避不管我以及我的兄弟。

夠長去到監牢裡消磨許多天——正當你在爲別人的困境抗議時。

夠長去收到一顆丟進你家中的炸彈。

夠長去教導憤怒的暴民保持冷靜，當你仍在爲投彈者祈禱時。

夠長去引導許多人信奉基督教。

夠長去知道爲正義而戰，勝過活在不義的和平中。

夠長去知道那些每日沈默坐視不義的人，比頑固與怒恨更令人討厭。

夠長去了解不義是沒有差別待遇的。遲早屬於各個族群與教條的人們，終將體驗它的殘酷監禁。

夠長了。

夠長去知道當一個人爲了他的公民權利而行使不服從的抵抗權時，他並未違反美國憲法，反而他是爲尋求人生而平等的原則辯護；他在尋求廢棄已經違反美國憲法的地方法令。

夠長了。

夠長去接受對國家領袖講話的邀請。

夠長去向成千的人們，在上百個不同場合演講。

夠長去帶領二十萬人到首都，去表現所有美國人都擁有生命權、自由權，以及追求幸福的權利。

夠長去在十五歲時進入大學。
夠長去完成並取得數個學位。
夠長去贏得數百個獎賞。
夠長去結婚成爲四個小孩的父親。
夠長去成爲鼓吹和平的樂隊長。
夠長去贏得諾貝爾和平獎。
夠長去爲了正義的理由，給予美金五萬四千元的獎金。
夠長去探訪山峰。
當然夠長去做一個夢。

當我們注意到馬丁·路德·金在短短三十九年內做了多少事後，我們知道，對任何熱愛他的國家以及同胞的人來說，三十九年實在夠長了。而且對他們來說，除非所有的人都以兄弟相稱，否則生命本身是沒有價值的。三十九年太長了，對任何一位每天故意與死亡共舞的人來說，讓他自己免於心痛與悲傷就意味他的兄弟明天將在生命中後退兩步。

馬丁活了好幾個世紀，全部濃縮在短短的三十九年內。他的回憶將永遠活下去。如果我們都能夠過同樣的生活，那該有多美好。

馬丁像其他人一樣喜歡長壽，但是，當他衡量事實後，他說：「不是一個人能活多久，而是如何善用上天分配給他的時間。」因此，我們對一個生活在不義的混亂中的人，這三十九年對他而言，或許太短、太長、又夠長的人致敬並讚揚。「因爲他終究是自由的。」

維拉・普瑞爾

只有問題

沒有問題的人是出局的人。

艾伯特・赫巴德

在一九九三年聖誕節前夕，「積極思考的驚人力量」這一部長期暢銷書的作者皮爾博士逝世，享年九十五歲。他在家中由愛、平安以及溫暖的照顧所圍繞。他所傳播的積極思考帶給人們和平及新生的自信，從他的訓誡、演說、廣播電視節目以及書籍中，我們了解到必須爲自己身處的情況負責。他認爲上帝並未創造無用之物，並提醒我們每天早上起床便面臨兩個抉擇：我們可以選擇對自己感到滿意或糟糕。我仍然清楚地聽到他大喊：「你爲何選擇後者？」

我在一九八六年七月第一次遇見皮爾博士。我所屬的威廉莫洛出版公司的董事長賴利・休格斯建議我考慮與他一起撰寫一本有關道德的書。接下來這兩

年，與他一起寫「道德經營的力量」這本書，是我這輩子最大的愉快之一。從初見面起，皮爾博士就對我的人生產生重大衝擊。他總是主張有積極思考的人會獲得積極的結果，因爲他們不怕問題。事實上，與其說視問題爲負面且應儘快除去的東西，諾曼反倒認爲問題就是人生的象徵。爲了釐淸這點，以下是他所喜愛的故事之一，我也經常用在提案陳述上：

有一天當我沿街散步時，看見我的朋友喬治緩緩走過來，從他臉上被踐踏的表情看來，顯然他並不是被生命存在的狂喜與豐富所感召——這是對喬治正在沈淪不振的高級說法。

我問他：「喬治，你好嗎？」

那不過意味著同行的噓寒問暖，喬治卻很嚴肅的面對我，而且花了十五分鐘說明他感到多麼糟糕、沮喪，他說得愈多，我感到愈糟。

最後我對他說：「這樣，喬治，我看到你這麼失意，實在很難過，怎麼搞的？」這樣確實點醒了他。

「是我的問題。」他說：「問題，只有問題。我受夠了問題。如果你能除掉我

所有的問題，我願意捐贈美金五千元到你喜歡的慈善機關。」

這樣的提議我從未聽過，但經我深思熟慮後，回答說我覺得這樣非常好。

我說：「昨天我到一個數千人居住的地方，就我所能確知的範圍，他們沒有一個人有任何問題，你喜歡去那裡嗎？」

「我們什麼時候可以出發？那裡聽起來似乎是我想要的地方。」喬治回答。

「如果情形是這樣，喬治，」我說，「我將很樂意明天帶你到伍德榮公墓去，因爲就我所知唯一沒有問題的人是死人。」

我喜愛這故事。它確實使生命充滿希望。我聽皮爾博士說了許多次：「如果你一點問題都沒有，我警告你，你正在重大危險中，你正在逐漸消滅中，而且你自己不知道！如果你不相信自己有任何問題，我建議你立刻從你所在的地方起跑，跳進你的車內，開車回家，愈快愈好，但也愈安全愈好，跑進屋內，直接進入臥房，重重地關上門。然後跪下並祈禱：『主啊！怎麼回事？不再相信我了嗎？給我一些問題吧。』」

坎·布蘭喬德

天使從不說「哈囉！」

我的祖母告訴我天使的事。她說他們前來敲我們的心門，試著想傳遞一些信息給我們。從我心靈的眼中，看見他們翅膀中間揹著大郵袋，頭上得意洋洋地戴著郵局便帽。我懷疑在他們信上的郵戳印記著：「天堂快遞」。

「等待天使開啓心門是沒用的。」祖母解釋著，「妳知道的，心門的門把只有一個，門栓也只有一個，它們是在裡面。妳的那一面。妳必須小心聆聽，等候天使到來，扭開鎖並開門。」

我喜歡這個故事，並要求她一次又一次地告訴我「那時候天使在做什麼？」

「天使從來不說『哈囉』，妳探出身並拿到信息，然後天使給妳指示：『起身並且前進！』接著天使飛走了。採取行動就是妳的責任了。」

當我被媒體採訪時，我經常被問到我如何在沒有任何大專學歷背景下，赤手空拳用著輪子幾乎快掉落的嬰兒車推著兩個小孩的情況下，建立起數個國際事業。

首先，我告訴記者，我一星期至少讀六本書，而且自有能力讀書起就如此。我仔細聆聽所有書中偉人的聲音。

接著，我解釋每當我聽到天使敲門時，我就趕緊立刻開門。天使傳來的信息包括新的商業創意、新書計畫以及有關我的事業和私人問題的絕妙解答。他們常來訪，川流不息地湧入，就像一條創意之河。

不過，敲門聲曾停過一次。它發生於我的女兒莉莉在一次意外嚴重受傷時。她當時坐在她的父親租來堆置稻草的堆高機後面。當他要歸還機器時，莉莉和另外兩個鄰居小孩要求坐堆高機。

正當要下坡時，駕駛座的傳動裝置壞了，她父親幾乎要拉斷手臂，想要控制這具大機械，以免翻覆。鄰居小女孩折斷了手臂，莉莉的父親則被撞得不省人事，而莉莉的左手被這大機械壓在下面，動彈不得。汽油灑在她的腿上，尚未點燃就已在燃燒。鄰居小男孩沒有受傷且還有理智，趕緊跑出去疏導交通。

我們送莉莉到整形外科醫院，展開一連串的手術。每一次手術，就截掉多一點她的手，他們告訴我，人的四肢被切掉後，有時可以被縫回來，不過若是已被壓得粉碎就不行。

那時莉莉才剛開始學鋼琴，因爲我是作家，我對她在下一年能開始學打字抱著很深的期待。

在那段時期，我時常忍不住哭泣，拒絕別人探望，我無法停止悲傷。我發現我不能專心讀任何東西。沒有天使來敲門了。我的心中有著深深的沈默。我一直想著莉莉因爲這場可怕意外而不能去做的事。

當我們帶她回醫院做第八次截肢時，我情緒異常低落。我一再想：「她將不能再打字！不能再打字！不能再打字了。」

我們在病房安頓下來，隔壁床的年輕女孩突然用命令的口吻對我們說：「我正在等你們！你們現在下樓到大廳左邊第三個房間！有一個因機車意外受傷的男孩在那兒。你們下去那裡振作他的精神，現在就去！」

她帶著戰場將軍的語調，我們立刻服從她。我們與男孩交談並鼓勵他，然後回到莉莉的病房。

我第一次注意到這個不尋常的女孩佝僂著身子。

「妳是誰？」我問。

「我叫湯妮・丹尼斯。」她露齒淺笑。「我上殘障高中。這次醫生將使我長高

快一吋！妳知道，我得了小兒麻痺症，我曾經動過許多次手術。」

她有著謝瓦茲柯夫將軍的魅力與力量。我忍不住脫口而出，但是喘息著說：「但是妳不是殘障者！」

「是啊！妳說對了！」她回答，側看著我，「學校教我們說，只要我們可以幫助別人，就不是殘障。現在，如果妳看到在我教打字的同學，妳一定認爲她是殘障，因爲她一出生就缺手缺腳，不過她靠牙齒咬住棒子教導我們所有的人打字。」

砰！突然間我聽到心門傳來叫喊、敲踢的叮噹雜音！

我跑出房間，下去走廊找到公用電話，我打給IBM公司找他們經理，我告訴她我的小女孩幾乎已經失去她的左手，並且問他是否有單手打字的圖解。

他答說：「是的，我們有！我們有左手及右手的圖解、用腳踩踏板的圖解，甚至用牙齒咬住棒子的也有，這些都是免費的，妳要我送到那裡？」

當我們終於可以將莉莉送回學校時，我隨身帶了單手打字圖解。她的手及臂膀仍然被綳帶及紗布石膏纏繞。我問校長，雖然她太年輕，可否讓她學習打字，取代體育課。他跟我說這種事從未有人做過，而且打字老師可能不願惹上

額外的痲煩，不過我可以問問他。

當我踏進打字教室時，我立刻發現房間裡到處都是從佛羅倫斯、南丁格爾、賓・法蘭克林、羅夫瓦度、艾默森以及溫士敦、邱吉爾處摘錄名言的標示。我深呼吸，明白我眞是來對了地方。老師說他從未教過單手打字，但是他可以跟莉莉在每天的午餐時間一起努力。

「我們將一起學習單手打字。」

不久莉莉對英文課的功課就完全用打字的。她那一年的英文老師是小兒痲痺症的受害者，他的右臂無助地懸在一側。他罵她：「妳媽媽太寶貝妳了！妳有一隻完好的右手，妳應該自己做功課。」

「喔！不是的，老師。」她對著他笑，「我的單手打字一分鐘可以超過五十字。我有IBM公司的單手圖解！」

英文老師突然坐下，然後他緩緩地說：「能夠打字一直是我的夢想。」

「午餐時間過來吧！我的圖解背面還有另一隻手的圖解，我會教你。」莉莉告訴他。

上過第一次午餐課之後，她回家說：「媽媽，湯妮・丹尼斯沒說錯。我不再

是殘障了，因為我正在幫某人完成他的夢想。」

今天，莉莉是兩本備受國際讚揚著作的作者。她已經教會我們辦公室的職員，用左邊的滑鼠去使用蘋果電腦。因為那裡才是她不必使用手指，卻能飛快地運用滑鼠自如的所在。

噓，聽著！你聽到敲門聲了嗎？扭開手把！開門！請想想我並記得——天使從不說「哈囉！」他們的問候語一直是：「起身並且前進！」

道蒂．瓦特斯

為什麼必須發生這些事？

我們都是上帝手中的鉛筆。

瑪樂·泰莉莎（泰莉莎修女）

我的愉快與熱情合一，來自我的聲音。我喜歡在我們的地方社區劇場表演。在一連串精疲力竭的表演後，我的喉嚨變得非常痛。那是我第一次演出歌劇作品，而且我對自己造成實際上的聲帶損傷感到害怕。我是帶頭示範表演的人，而且我們就快要開演了。所以我約了家庭醫生，在那兒等了一小時！我最後忿怒地離開，回去工作，然後抓起電話簿找到了附近的喉科專家。我又再一次約好醫生過去。

護士帶我進去，我坐下來等醫生。我感到非常不愉快。我不常生病，但我卻在最需要健康的時候生病。此外，我必須在工作天撥出時間去看兩位都叫我等

候的醫生，我感到很沮喪。爲什麼必須發生這些事？

過一會兒護士回來了，她說：「我可以問一些私人事情嗎？」這可怪了，在醫生的辦公室裡，他們還要問什麼私人問題？但是我看著護士說：「是的，當然可以。」

「我注意到妳的手。」她有點急切地說。

當我十一歲時，在一場堆高機意外中失去了一半左手。我想這是我沒有繼續完成劇場表演夢的理由之一，雖然每個人都說：「噢，我從未注意到！妳是那麼自然。」我心裡想，他們其實只想看到完美的人在舞台上。沒有人會想看我。此外，我太高、太重、不是眞有天份……，不，他們不想看到我。但是我喜歡音樂喜劇，而且我確實擁有好聲音。所以，有一天我在我們的地方社區劇場試演，我第一個上台！那是三年前的事了。從那時起，我一直被指派扮演任何我試演過的角色。

護士繼續說：「我想知道的是這件事如何影響妳的人生？」

自從這件事發生至今二十五年，沒有人問過我這些。也許他們會說：「它困擾妳嗎？」但是從來沒有這樣全面性地問：「它如何影響妳的人生？」

一陣尷尬後，她說：「妳知道，我剛生了一個嬰兒，而且她的手就像妳的情形，我—這個—我需要知道它是如何影響妳的人生？」

「它如何影響我的人生？」我思考了一下，想找出正確的字眼來說。最後，我說：「它已經影響我的人生，但不是在壞的方面—我做了許多擁有兩隻正常手的人認爲困難的事。我每分鐘約打七十五個字，我彈吉他，我騎表演馬多年，我甚至有馴馬師資格。我參與音樂劇院，而且我是職業演說家，我經常面對群衆。我一年做電視節目四到五次，我想它從未變得『困難』，因爲我有家人的愛與鼓勵。他們總是談論著我將變得聲名大噪，因爲我將會用一隻手做一些大部分人用兩隻手做也會有困難的事。我們對那一點都感到非常興奮。那才是主要焦點，不是殘障。」

「妳的女兒並沒有問題，她是正常的。妳會是那個教導她看待自己如同其他正常事物一樣的人。她將來會知道她是『與衆不同』，但是妳會教導她『與衆不同』是美好的事，正常則意味著你是普通的。那有什麼樂趣可言？」

她沈默了一陣，然後說聲「謝謝」就走出去了。

我坐在那兒想：「爲什麼必須發生這些事？」事出必有因——即使是那堆高

機壓在我的手上也是一樣的。所有的情況促成我現在在醫生這裡，而且此刻的產生也是有原因的。

醫生走進來，看了我的喉嚨，並說他想麻醉後，插入探管檢查。算了，歌者們對於將醫療器具放入他們的喉嚨是感到非常偏執不安的，尤其是一些粗暴到需要麻醉的器具！我說：「不，謝了。」就走了出去。

第二天，我的喉嚨就完全好多了。爲什麼必須發生這些事？

莉莉・瓦特斯

百煉成精鋼

人格無法在平和中養成。只有經歷試煉與磨折，靈魂才得以强化；視野才得以明晰；雄心才得以激發；而成功才得以獲致。

海倫・凱勒

我從未忘記一九四六年的那晚，災難及挑戰降臨我家。我的哥哥喬治練完足球後回家，卻以華氏一〇四度的體溫崩潰。經檢查，醫生說是小兒痲痺。這是沙克醫生時代之前的事，小兒痲痺在韋作斯特、密蘇里一帶很有名，造成許多兒童及青少年死亡或殘障。

危險期過後，醫生感到有責任告訴喬治眞相。「孩子，我不願告訴你，」他說，「但是小兒痲痺已造成傷殘，你不得不跛腳而行，而且你的右臂將毫無用處。」喬治在上一季剛錯失冠軍，但是他一直想在高中時成爲摔角冠軍。

喬治幾乎不能說話，他低吟：「醫生……」

「是的。」醫生靠近床邊說，「我的孩子，什麼？」

「下地獄！」喬治以堅決的語氣說。

第二天護士走進房間時，發現他臉朝地板躺在地面上。

「怎麼回事？」震驚的護士問。

「我正在走路。」喬治冷靜地回答。他拒絕使用任何鐵製支撐或拐杖。有時他花費二十分鐘才離開椅子，但是他拒絕任何的建議或幫助。

我曾看過他用正常人舉起一百磅啞鈴的力氣去舉起一個網球。我也曾看過他走出去踏在墊子上，好比一個摔角隊隊長。

但是故事並未就此打住。接著幾年，在他被指派為密蘇里谷學院開辦第一次足球比賽的地方轉播後，他因罹患白血球增多症而倒了下來。

是我的兄弟鮑布強化了喬治早已擁有的永不放棄的堅定哲學——當密蘇里谷隊四分後衛完成十二碼球傳送後，播報員說：「喬治・希拉特第一次接到球。」時，家人正坐在他醫院的房裡，感到震驚，我們全都看著床，確定喬治是否仍然在那裡。後來我們才了解是怎麼回事。鮑布，也在起跑線

上，他穿了喬治的球衣，所以喬治可以一整個下午聽到他自己接獲六個傳球，又做了無數次的抱住、扭倒。

他爲了克服單調，那天特地按照鮑布教他的照做一遍——總是有方法的。

一九四八年，在他踏到生命鐵釘之後，喬治註定要在醫院度過後來的三年。一九四九年，是扁桃腺炎，就在他將爲費爾・哈里斯試唱之前。一九五〇年，是全身百分之四十的三度灼傷以及肺衰竭。他的命是我的兄弟亞倫在一次爆炸中，把自己丟向喬治，撲滅他身上的火而救回的。亞倫自己受到嚴重燒傷。

但是，屢次排練過後，喬治卻更堅強地回來，而且更確定他自己克服障礙的能力。他曾說到如果一個人只顧著看路障，那他就看不到目標了。

配備了這些精神上的天賦以及靈魂的笑聲，他進入了演藝圈以及改革後的電視界，藉創作一些節目，諸如「忍不住的笑」與「美國喜劇獎賞」等，而且以山米・戴維斯二世這一個特別人物，贏得艾美獎。

他曾被放在熔爐裡慢慢鍛鍊，最後伴隨著鋼鐵般的靈魂出來，用它來強化並娛樂一個國家。

約翰・威拿・史拉特

「永遠」別放棄

「成功」
「學習經驗」
GOFF

過了一會兒

過了一會兒你了解握手與連結靈魂的細微差別，而且你了解愛情並不表示依賴，伴侶並不意味安全；

而且開始了解接吻不是契約，禮物不是承諾；

而且你開始抬頭張眼，以成人的優雅，而非小孩的悲傷接受失敗；

而且你學會在今天建造你所有的路，因爲明天的路程太不確定，無從計畫。

過一會兒你了解，如果照得太多，即使是陽光也會傷人。

所以要栽種自己的花園，而且裝飾自己的靈魂，來取代等候專人送花給你。

而且你了解你確實可以忍受……

你確實強壯，

而且你確實是有價值的。

芭芭拉．考帝　提供

美國之頂

「為什麼是我？」當他的父親將他血跡斑斑的身體自陰鬱的湖中拖上船時，陶德尖叫著說。當他的父親、兩個兄弟、三個朋友趕到岸邊求援時，陶德仍有意識。

一切都太意外了，每個人都剛享受完湖邊滑水之樂。這湖位於奧克拉荷馬州的祖父母家附近。在結束一天的滑水後，陶德想要換裝遊艇內管。正當他解開滑水繩的那一剎那，發動機反轉，將他的雙腳捲進螺旋槳中。沒有人聽到他的哀嚎，而發現時已經太遲了！如今他必須終身耗在醫院裡。

他的雙腳嚴重受傷。他右腳的坐骨神經被切離，造成他膝蓋以下永久麻痺。醫生說他可能永遠不能再走路。

陶德慢慢痊癒，但骨病後來又侵入他的左腳。接下來的七年，他在生理上以及心理上都為了保住他的腳而奮戰。然而，他終究得面對他最大的恐懼。

在一九八一年四月的一個陰森日子，陶德意識清醒地躺在麻州總醫院的手術

檯上，等待既定程序的進行。他冷靜地對醫院職員表示手術過後他想吃那一種披薩。

「我喜歡加拿大培根加鳳梨。」他開玩笑地說。正當那要命的時刻接近時，一波冷靜流遍全身。這時他憶及孩兒時期的聖經詩歌，平和洋溢心中，「正義走在他的前面，爲他鋪路。」

陶德絲毫未曾動搖地深信他的下一步是截肢。任何搖擺不定的懷疑都已經消失，他有勇氣面對不可避免的情形。爲了獲得他們追求的生活方式，他必須失去他的腳。短短幾分鐘內，他的腳就消失了，但是他的未來整個開展著。

他在朋友及家人的建議下，鑽研心理學。後來他以優等畢業，然後在南加州的截肢者資源中心任職臨床指導。藉著他的心理學背景以及個人的截肢經驗，他開始注意到他可以透過他的工作激勵其他的截肢者。

「我是奉命踏出人生的每一步路！」他回憶著，「我猜我是在正確的路途上，不過下一步是什麼？」他懷疑。

意外發生前，他過著正常生活。他爬山、露營、從事各類運動、與女孩們談情說愛、與兄弟們排遣時間。受傷後，他仍舊與他的朋友社交往返，但是他再

也無法運動了。手術過後所裝置的人工義肢允許他再度行走，但也僅止於此。有一些晚上陶德夢見自己跑過綠油油的草坪，隨後卻只在殘酷的現實情況下醒來。他渴望能再跑步。

一九九三年，他得以實現他的願望。一種新型修補術叫「彎曲腳」，被發展出來。他透過他的義肢醫生取得一具。

首先，他掙扎著跑，卻跌倒在地且氣喘吁吁。不過憑著不屈不撓的精神，很快地，他就能一天跑十二英哩。

當他正提升能力時，一個朋友在偶然間看見一篇雜誌上的文章，他想陶德可能會有興趣。有一個組織正在找尋一位截肢者去攀爬五十州內的每一座最高峰。即將會有其他四位殘障登山人士參加，而且他們企圖在一百天或更少天數內爬完五十座高峰，以打破紀錄。

這想法刺激了陶德。「爲何不去做？」他想，「我以前就喜愛登山，現在我有機會去發掘我的極限。」

他申請了那個職位，而且立刻就被接受了。

探險隊計劃在一九九四年四月開始出發。陶德幾乎有一整年的時間來準備。

他開始藉著每天外出工作、改變飲食習慣、過度練習攀岩等來訓練自己。每個人都同意那是個好主意，但也有些人認爲那可能不是最負責任的選擇。陶德並未讓那些持負面意見的人拖住。

他知道這是爲所當爲。

當他祈禱著能受到指引時，他明白這是他人生中的下一步。

每件事都進行得很完美，直到一九九四年二月，當他接獲一些令人氣餒的消息——探險隊的基金籌募失敗了！計劃協調人說他感到抱歉，但是除了解散這個計劃之外，別無他途。

「我不會放棄！」陶德大叫。「我花了太多時間做準備工作，我不能現在就放棄。在這裡有一些信息必須被聽到，而且，上帝會樂於聽到，我將設法使探險隊成行！」

陶德不爲這個消息所屈服，反而開始去啓動車輪，自助募款。在接下來的六星期中，他募到了足夠的財務支援，使得探險隊工作能夠持續進行。他也邀請了一些朋友來幫助他處理登山的後勤工作。維特・藍巴赫是他的登山夥伴，而我，莉莎・曼利，將處理到達終點之前的雜務。凡事都已就緒，他也如期出

發，他的新探險隊叫做「美國之頂」。

當陶德在準備探險時，他了解到只有三十一個人曾經到達過所有這五十座高山的頂峰。更多人成功地登上世界最高峰——艾佛勒斯峰。

陶德及維特於一九九四年六月一日下午五點十分，由阿拉斯加州的麥克金利山開始攀登全部五十座高峰。先前的紀錄保持人，亞卓伊恩．克瑞恩以及一位士官，麥克．維寧，協助他們攀登「地維利」（麥克金利山的印第安名稱）。

「山上的情況異常難料。」陶德說，「暴風可能在數小時內吹起。就像貓捉老鼠的遊戲一直持續到山頂。」

「氣溫有時降到華氏零下卅度。」他說，「我們花了十二天去跟天候、高山症以及實際的危險作戰。我知道高山可能是危險的，但是我不知道它有多危險，直到有兩具冰封的屍體在我面前被埋入山中。」

「一次一步，最後數千英呎最困難。我每走一步必須呼吸三次，我不斷地告訴自己，只有在到達山頂時，我的信息才會被聽見。這樣的瞭解終於將我推進到山頂。」

剩下來的探險，腳步加快了，而且更加刺激。某些機構支援了其餘的登山財

務來挽救「美國之頂」。人們開始對陶德產生興趣──他想破紀錄的決心以及他的故事。當他旅行全國各地時，他的信息被報紙、電視、廣播所傳遞。

一切都已按部就班上了軌道，直到攀登第四十七座高山─奧瑞崗州的虎德山時。之前一星期，就有兩個人在那座山喪生。每個人都勸告陶德及維特不要攀登，他們說不值得冒險。

由於充滿了不確定與不安全的感覺，陶德連絡他的高中朋友也是登山專家的弗瑞德・札洛卡。當弗瑞德聽完他的困境後，他說：「陶德，你涉入太深，現在抽不出腿了。帶我進城，我會帶你安全上山。」

經過與山地管理當局數次討論以及數小時的仔細計劃後，陶德、維特及弗瑞德成功地登上虎德山山頂。現在只剩下不過三座高山矗立在陶德與紀錄之間。

接著，一九九四年八月七日上午十一點五十七分，陶德勝利地站在夏威夷毛納基山的頂峰。他在六十六天二十一小時又四十七分內，攀登完全部五十座高峰，比舊有的登山紀錄少了三十五天。

更值得注意的是，陶德是一位截肢殘障者，卻突破了雙腳健全的人所創造的紀錄。

陶德非常得意，不僅因爲他已創下了新的世界登山紀錄，也因爲現在他已經知道「爲什麼是我？」這問題的答案了。這個自從他在湖邊出了意外以後，許久以來懸而未決的問題。

時年三十三歲，他看到了自己凱旋勝利並克服悲劇的情形。這可以用來鼓勵各地的人們，使他們可以突破個人的挑戰。

透過登山一直到今天，陶德．休斯頓帶給各地人們他的信息。他以冷靜的保證陳述著：「藉著對上帝的忠誠以及信仰上帝所賦予你的能力，你可以克服你生命中所面對的任何挑戰。」

莉莎．曼利

一件未發掘的傑作

世界上沒有任何事物可以取代堅忍。才氣不能，有才氣而不成功的人比比皆是；天才不能，歷史上不得志的天才不乏先例。單單堅忍決斷才是萬能的。

卡文・科立

幾年前，我的朋友，素，有一些相當嚴重的健康問題。她從小就體弱多病，而且仍然得負擔出生時的缺陷，在她的心室裡有一個洞。她的五個小孩出生時，都由痛苦的C階段開始，後來也都有後遺症產生。她經歷了一次又一次的手術，體重也增加了數磅。節食對她無效。她必須經常忍受無法診斷的不明疼痛。她的先生，丹尼斯，已學會了接受她的先天限制。他常希望她的健康情形會改善，但是內心並不眞正相信會有那麼一天。

有一天他們坐下來舉行家庭聚會，草擬了一份「願望單」，寫出他們生命中

最想要的事物。素的願望之一是能夠參加馬拉松比賽。由於她過去的背景以及生理上的限制，丹尼斯認爲她的目標是完全不切實際的，但是素卻變得認眞起來了。

她開始在住家附近區域緩慢地跑著。每天就只比前一天多跑一些——只有多一個車道。

「什麼時候我才能夠跑足一英哩呢？」有一天素問道。

很快地，她可以跑三英哩，接著五英哩，我讓丹尼斯用他自己的話來說其餘的故事好了：

我記得素告訴過我她已經學到了一些事：「潛意識以及神經系統不能分辨什麼是眞實情況，而什麼又是生動活潑的想像情況。」

如果我們讓心中的想像，變成如水晶般明澈，我們會爲了追求完美而改變自己，促使我們自己下意識地追求珍貴無比的欲望，而且，幾乎完全成功。我知道素相信它—她已經報名參加猶他州南部，聖高治馬拉松的比賽。

「心靈能相信一個導致自我毀滅的假象嗎？」

當我駕車由塞達布經過山路到猶他州的聖喬治時，我問我自己上述問題。我將我們的廂型車停在終點線並等候素的到達。雨持續不斷地下，風也徹骨的冷。馬拉松賽五小時前就已展開。幾個受傷發冷的跑者已從我身邊被運走，我開始發慌。想到素可能獨自一個人發冷而倒在路旁某處，我就焦慮得快病了。

強壯而又快速的競爭對手，早已跑完全程，跑者變得越來越稀落，現在我在任何一個方向都看不到人了。

幾乎所有沿著馬拉松路徑而走的車子都已離開，一些正常交通已經回復進行。我能夠在比賽路徑上駕車前進，開了快兩英哩，仍然看不到跑者。於是我迴轉，看到一小群人跑在前面。當我靠近時，我可以看見素以及其他三個人。他們一邊跑，一邊談笑。他們在路的另一邊。我停了車，隔著已經通暢的車流說：「妳還好嗎？」

「啊！很好。」素說，只輕輕地喘著氣。她的新朋友則對著我笑。

「只有幾英哩。」我說。

只有幾英哩？我想，我瘋了嗎？我注意到其他兩個跑者正四肢無力地跑著。我可以聽到他們的腳，在濕熱的運動鞋裡啪喳啪喳響著。我想對他們說他們跑

得很好，我可以載他們一程，但是，我看到他們眼中的決心。我將廂型車調頭，遠遠跟著他們，注意他們全部或其中之一有沒有倒下來。

他們已經跑了五個半小時了。我加速超越他們，並在離終點線一英哩處等候。

當素進入視線時，我可以看到她開始掙扎。她的步伐慢了，臉部因痛苦而扭曲。她恐懼地看著雙腳，好像它們不願再動了。然而，她繼續前進，幾乎蹣跚而行。

小團體幾乎變得快要散掉了。只有一位大約二十歲左右的女子靠近素。很顯然的，她們是在比賽中成爲朋友。我被這樣的場景吸引住，於是跟著她們跑。大約數百碼後，我試著想對她們提供一些激勵性與智慧性的偉大話語，但是我喘不過氣，也說不出來。

終點線就在眼前，我慶幸它尚未完全拆除，因爲我覺得眞正的勝利者才剛要跑進來。跑者之一，一位苗條的青少年，停止跑步，坐下並哭了起來。我看到一些人，或許是家人，將他帶到他們的車上。我可以見到素正處於煩悶焦躁中──但是她夢想這天已經等了兩年了，她不會被拒絕。她知道她會完成，這個認

識促使她自信滿滿，甚至快樂地重拾距終點線最後數百碼的步伐。少數人到外圍來恭喜我太太及馬拉松跑者。她跑得很漂亮，她很有規律地休息後再起跑，在各個飲水點大量喝水，而且步伐控制得很好。

她已成爲這個經驗較少的小團體的領袖。她曾以充滿自信及擔當的話激發、鼓勵他們。當我們在公園慶祝時，他們公開地讚揚她、擁抱她。

「她使我們相信我們做得到！」她的新朋友述說著。

「她生動地描述我會如何到達終點，所以，我知道我做得到。」另一個說。

雨停了，我們在公園中邊走邊談。我看著素。她讓自己變得截然不同了。她的頭抬得更高，肩膀挺得更直，她走路時，即使有點乏力，卻煥發出新的自信。她的聲音呈現嶄新的、安詳的尊嚴。並非她變成別人了，而是她發掘了自己以前從不知道的眞實自我。畫猶未乾，但是我知道她是一件尚未被發掘的傑作。關於她自己，有著上百萬的新事物留待學習。

她眞的喜歡她新近發掘的自我，我也一樣。

查理斯・A・康若特

如果我可以做倒，你也能！

我一出生就眞的一無所有。在嬰兒時期就被我的生母拋棄，她是一個來自加拿大薩斯卡特奇旺摩斯小鎭的年輕未婚媽媽。後來我被一對貧窮的中年夫婦，約翰及瑪莉．林克雷特所收養。

我的養父是我見過最溫和的人之一，但他絕對沒有能力當一個商人、一個兼職的福音教派牧師；他也試過賣保險、經營一家小店、做鞋子，全部都不太成功。最後我們全家都住在聖地牙哥當地教會所辦的慈善之家中。然後，林克雷特老爹受上帝感召為全職牧師，而我們家的錢更少了。我們所確實擁有的，只是在找食物時，常分享到鄰居不要的東西。

我早早從高中畢業，在僅僅十六歲時就上路成爲流浪漢，希望能找尋自己的命運。然而，我第一件發現的事，是一支手槍的錯誤盡頭：我的旅伴以及我，被一對惡棍挾持，他們發現我們睡在貨車中。

「手伸出來並且躺平！」其中一人命令著。「如果這火柴滅了，或是我聽到任

何聲音，我就開槍。」當他們搜索我們的口袋，而且在我們的腰部附近摸索時，我開始懷疑他們是不是只要錢而已。我嚇壞了，因爲我聽過老流浪漢對年輕男孩們性侵犯的故事。就在那時，火柴熄了，我們沒有動！小偷在我身上找到美金一塊三毛，但是錯過了十塊，我縫在外套襯裡。他們也拿走了我朋友丹佛・福克斯的二塊錢。

火柴又熄了，我可以從他們的猶疑中，察覺有些事還未決定。我和丹佛躺在黑暗中，就在數吋之外，我聽到手槍上鏜，突然覺得一陣冷風吹過背脊。我知道他們考慮殺掉我們。對他們而言，風險很少——貨車外的傾盆大雨可以遮蓋掉任何噪音。我因爲害怕而僵硬，我想起我父親，還有，如果他知情的話，他會如何地爲我禱告。突然間，恐懼離我而去，平和與安詳又回復了，好像對我自己的自信有所回應，他們回頭走向我們。然後我感覺到其中之一用某個東西按住我的手臂。

「這裡是你的三毛錢，」他說：「早飯錢。」

今天我回顧過去四十五年，自己是廣播史上播出最長的節目的兩個明星之一；我回想，自己做爲商人、作家、演說家的成功；而且我以擁有美好的家庭

生活而自傲—五十八年來都是同一個妻子、五個孩子、七個孫子女以及八個曾孫子女。我提起這些並不是爲了吹噓，不過是爲了鼓勵其他人，一些在社會經濟低下階層的人。請牢記我是從那裡出發的，而且記住，如果我可以做到，你也能。是的，你能？

艾特・林克雷特

發生什麼事？

一位年輕人在玩，或者我該說是練習足球，在常春藤聯盟的大學裡。傑利的技巧還不足以在定期的球季比賽中踢球。但是在四年裡，這個衷心付出、忠誠不貳的年輕人，從未錯過練球。教練對傑利的忠心耿耿與無私奉獻印象深刻，同時也對他對待父親的誠摯熱愛感到驚訝。有好幾次，教練曾經看到傑利和前來探訪他的父親手挽手在校園內散步。但是教練沒有機會與傑利談到他的父親或是認識他。

在傑利高年級時，球季中最重要比賽——以陸軍對海軍、喬治亞對喬治亞科技，或密西根對俄亥俄的配對激烈競賽的傳統對抗——前幾天的某個晚上，教練聽到有人敲門。打開門，他看到年輕人，臉上充滿悲傷。

「教練，我爸爸剛死。」傑利喃喃地說，「我可不可以這幾天不練球回家？」

教練說他聽到這消息很難過，當然，讓他回家是毫無問題的。當傑利低聲說「謝謝」並轉身離去時，教練補充說：「請你不要覺得必須在下星期六比賽前及

時趕回來，你當然也不必擔心比賽了。」年輕人點頭後離開。

但是就在星期五晚上，離大賽僅數小時，傑利又再一次站在教練的面前。「教練，我回來了！」他說，我有一個請求：「可不可以讓我明天參加開賽？」

教練原本想藉著說明這球賽對隊上的重要性，來勸服他放棄請求。但是，最後他卻同意了。

那晚教練輾轉反側。他為什麼會對這個年輕人說可以呢？敵對球隊一般被認為會贏他們三個球。他需要他最佳的球員參與整個比賽。假設開球輪到傑利，而他失誤了；假設他參加比賽，而他們輸了五、六球……。

顯而易見地，他無法讓這年輕人上場。這點是毫無疑問，不過畢竟他已經答應了。

所以，當樂隊開始演奏，觀眾興奮吼叫時，傑利站在目標線上，等著踢開場球。

「反正球可能不會到他那邊。」教練自己這麼想。

不過，教練會調度一陣子，確定其他的中衛及後衛帶到球，然後他可以請這個年輕人下場。那樣他就不必擔心會有重大失誤產生，同時他依然可以信守諾

言。

「喔，不！」當開場球飄飄然正中傑利懷中時，教練呻吟著。但是，未如教練預期的失誤，傑利緊緊抓住球，閃開了三個衝刺的防衛，跑過中場，最後被扭倒在地。

教練從未見過傑利跑得如此敏捷有力，而且或許感應到某些事，他叫後衛給傑利暗號，後衛用手把敵手推開，傑利用力突破扭倒，得到二十碼球來回應。他帶球通過目標線。

優勢的對手愣住了。那小子是誰？他甚至不在敵隊的情報紀錄中，直到那個時候，他一年才參賽整整三分鐘。

教練讓傑利留在場內，他在整個上半場中，又是攻擊又是防禦。扭倒、攔截、擊倒傳球者、封鎖、快跑——他全做了。

在這中間，失敗的敵隊獲得兩個扭倒。在下半場，傑利繼續激勵自己隊友。最後槍響時，他的球隊贏了。由於打贏了不可能的勝仗，球員休息室中鬧哄哄的。教練找到傑利，發現他把頭埋在手中，躲在遠遠角落裡安靜坐著。

「孩子，剛剛在外頭發生了什麼事？」教練抱住他並問。「你不可能打得像剛

才那麼好。你沒有那麼快、那麼強壯，也沒有那麼技巧純熟。怎麼回事？」

傑利望著教練，慢慢地說：「你知道，教練，我父親是瞎子。這是第一次他可以看到我參加比賽。」

無名氏

恰克・道奇提供

卷八・折衷的智慧

人生是一連串的課程，必須活過才能明白。

海倫・凱勒

「你的意思是說我變一變戲法，
然後自己轉個圈，這就是關於它的全部？」

智慧

從一大早開始，三個牛仔就一直騎在小徑上。其中的一個是那維荷族的一員。由於忙著趕集、放牧失散的牛群，他們三個一直沒時間吃飯。直到當天結束時，其中兩個牛仔開始討論他們是如何的饑腸轆轆，還有回到鎮上時要吃怎樣豐盛的大餐。當其中一個牛仔問那維荷人是否也餓了時，他只是聳聳肩並說：「不餓。」

稍晚，在他們抵達鎮上後，三個人全都點了有著大牛排的晚餐。當這個那維荷人非常高興地，一道接一道吃著他眼前的每一樣食物時，他的朋友之一提醒他說，不到一小時前他還說不餓呢！

「那時感到饑餓並不聰明。」他回答，「因爲沒有食物。」

無名氏

拿破崙與毛皮商人

不要在憤怒中回顧，也不要在畏懼中前瞻，但是要看清楚周遭的一切。

詹姆士·舍波

拿破崙入侵俄國期間，他的部隊在一個無盡荒涼土地上的小鎮當中作戰，當時他意外地與他的軍隊脫離時，一群俄國高薩克人盯上他，開始在彎曲的街道上追逐他。拿破崙開始逃命，並潛入僻巷中的一家小毛皮商家。當拿破崙氣喘吁吁地逃入店內時，他對毛皮商人可憐地大叫：

「救救我，救救我！我可以藏在那裡？」

毛皮商說：「快點，角落的那堆毛皮底下！」然後他用很多張毛皮蓋住拿破崙。

當他一蓋完，俄國高薩克人就已衝到門口，大喊：「他在那裡？我們看見他

跑進來了！」不顧毛皮商人的抗議，他們把他的店給拆了，想找到拿破崙。他們將劍刺入毛皮內，但是沒有發現他。不久，他們放棄並離開了。

過一會兒，正當拿破崙的貼身侍衛來到門口時，拿破崙毫髮無傷地從毛皮下爬出來。毛皮商向拿破崙膽怯地說：「原諒我對一個偉人問這個問題，但是躲在毛皮下，知道下一刻可能是最後一刻，那是什麼樣的感覺？」

拿破崙站穩身子，並憤怒地向毛皮商人說：「你竟然對拿破崙皇帝問這樣的問題？警衛，將這個不知輕重的人帶出去，矇住眼睛，處決他。我，本人，將親自發號槍決命令！」

警衛捉住那可憐的毛皮商人，拖到外面面壁而立，矇住雙眼。毛皮商人看不見任何東西，但是他可以聽到警衛的動作，當他們慢慢排成一列，準備他們的步槍時，他可以聽見自己的衣服在冷風中簌簌作響。他可以感覺到寒風正輕輕拉著他的衣襬、冷卻他的臉頰，他的雙腳正不由自主地顫抖著。然後，他聽見拿破崙清清喉嚨，慢慢地喊著「預備……瞄準……」，在那一刻，他知道甚至這一些無關痛癢的感傷都將永遠離他而去，而眼淚流到臉頰時，一股難以形容的感覺自他身上泉湧而出。

經過一段長時間的安靜之後，毛皮商人聽到有腳步聲靠近他，他的眼罩被解了下來。因爲突來的陽光使得他視覺半盲，他可以看見拿破崙的眼睛深深地又故意地望進他自己的眼睛，似乎想看穿他靈魂裡的每一個塵埃角落。然後拿破崙輕柔地說：「現在你知道了。」

史帝夫·安得拉斯

足跡

有一個晚上，有一個人做了夢。他夢到他與上帝正一同沿著沙灘散步。天空中閃過一些他生命中的場景。他注意到每個場景都有兩組足跡在沙灘上—一組屬於他，另一組屬於上帝。當最後一組場景將從他面前消逝時，他回頭注視足跡，他發現到有許多次沿著路徑，只有一組足跡。他又注意到這些剛好都發生在他人生最低潮、最悲傷的時段。這點深深困擾著他，他問上帝：

「上帝，祢曾說一旦我決定跟隨祢，祢會一路陪著我走下去，但是我注意到在我人生最麻煩的時期，只有一組足跡。不知道爲什麼，當我最需要祢時，祢卻離棄我？」

上帝回答：「我可愛的孩子，我愛你！而且永遠不會離開你。在你蒙受考驗與挫折的時候，你只看到一組足跡，那些是我負載你在我臂彎時所留下的。」

無名氏

透過一個小孩的眼睛

有一個老人日復一日坐在他的搖椅上。

他就這坐定在他的椅子上，並承諾不再離開這張椅子，直到他看見上帝。

在一個美好的春日下午，老人在椅子上搖啊搖，面無表情地沈浸在上帝即將來訪的想像中。他看到一個小女孩在對街玩耍。小女孩的球掉進老人的院子裡。她跑過去撿起來，當她彎下腰來取球時看著老人，並說：

「老先生，我看你每天在椅子上搖啊搖的，又注視著空無一物的地方，你在找什麼？」

「喔，我親愛的小朋友，妳太小了，沒辦法明白的。」老人回答。

「或許。」小女孩回答，「但是我媽媽總是告訴我說，如果腦袋裡有東西，應該說出來。她說是爲了得到更好的了解。我媽媽總是說：『莉芝小姐，分擔妳的想法給別人。』分擔、分擔、分擔，我媽媽總是這麼說。」

「喔！雖然如此，莉芝小姐，我不認爲妳幫得上忙。」老人喃喃訴說。

「或許不行，老先生，但是也許我可以只幫忙聽。」

「好吧！小莉芝小姐，我是在找上帝。」

「老先生，你用了一切的注意力，每天坐在椅子上前後晃動就爲了找上帝？」莉芝小姐迷惑地問。

「爲什麼？因爲我想在臨死前確定有上帝存在。我需要一個跡象，但是我仍未看到。」老人說。

「一個跡象？先生，一個跡象？」莉芝小姐說。她被老人的話弄糊塗了。

「老先生，上帝給你跡象在於你能繼續下一個呼吸，在於你能聞到鮮花，在於嬰兒出生時。先生，上帝給你一個跡象在於可以哭、可以笑、可以感覺到眼淚從眼中滾落下來。上帝的跡象在風中、在彩虹中，還有在四季變換中。所有的跡象都在，但是你不相信他們。老先生，上帝就在你身上，也在我身上。不必找了，因爲他、她或不論什麼是什麼，就一直在這裡。」

莉芝小姐一隻手插在腰上，另一隻手在空中連續揮舞著說：「媽媽說：『莉芝小姐，如果妳想尋找一些不同的事物，妳必須閉上眼睛。因爲，要看到上帝，是去看簡單的事物，是去看所有事物中的生命跡象。』這是媽媽說的。」

「莉芝小姐，孩子，妳對上帝有很深刻的認知，但是就妳所說的，還是不夠。」

莉芝走向老人，並且把她年輕、稚氣的雙手貼在他的心上，輕輕的對著他的耳朵說：「先生，它來自這裡面，不是外面。」並指著天空說，「在你的心中找到他，在你自己的心中。然後，老先生，你將會看到上帝的跡象。」

莉芝小姐走向對街，向老人微笑。然後，當她彎下腰去聞花朵時，她大聲叫著：「媽媽總是說：『莉芝小姐，如果妳在找某些不朽的事物，妳要閉上眼睛。』」

迪・迪・羅賓森

野雁的感覺

下個秋天，當你見到雁群爲過冬而朝南方，沿途以「V」字隊形飛行時，你也許已想到某種科學論點已經可以說明牠們要如此飛。當每一隻鳥展翅拍打時，造成其他的鳥立刻跟進，整個鳥群抬升。藉著「V」字隊形，整個鳥群比每隻鳥單飛時，至少增加了百分之七十一的飛行能力。

分享共同目標與社區感的人們可以更快、更輕易地到達他們想去的地方，因爲他們憑藉著彼此的衝勁、助力而向前行。

當一隻野雁脫隊時，牠立刻感到獨自飛行時的遲緩、拖拉與排擠，所以很快又回到隊上，繼續利用前一隻鳥所造成的浮力。

如果我們擁有像野雁一樣的感覺，我們會留在隊裡，跟那些與我們走同一條路，同時又在前面領路的人在一起。

當領隊的鳥疲倦了，牠會輪流退到側翼，另一隻野雁則接替飛在隊形的最前端。

輪流從事吃力的工作是合理的，對人或對南飛的野雁都一樣。

飛行在後的野雁會利用叫聲鼓勵前面的同伴來保持整體的速度。

當我們在後面叫喊時，給了什麼樣的訊息。

最後—而且是重要的—當一隻野雁生病了，或是因槍擊而受傷，從而脫隊時，另外兩隻野雁會脫隊跟隨牠，來幫助並保護牠。牠們跟著落下的野雁到地面，直到牠能夠飛或者死掉。而且只有在那時，另兩隻野雁才會再飛走，或隨著另一隊野雁來趕上牠們自己的隊伍。

如果我們擁有野雁的感覺，我們將像牠們一樣互相扶助。

無名氏

我知道祂從軍了

我無法告訴你曾否在教堂中找到上帝，而且我也記不得當我在教堂時，曾感受到祂在我身邊。

我確實記得看到很多微笑而友善的臉孔，而所有的人都穿著他們的好衣服。然而，我總覺得不自在—太多人，太靠近了。

不，我不記得在教堂看過上帝，但是我經常在那兒聽到祂的名字。有些人問：「你曾經重生過嗎？如果有，是什麼時候？」而我就是不明瞭！

我在越南確實感受到上帝的存在——幾乎是每天。

我感受到祂，是在整夜的火拚戰鬥之後，
祂召來陽光，驅走雨水；而雨水
會在隔日又將威風凜凜地回來。

當我收集摩爾士官的屍塊，放進屍袋時，
祂就在那裡。
當我聽到辛克士官垂死的最後鼻息時，祂就在那裡。
祂在安洛山谷的小丘上，幫我將史汪森士官運下山。

一九六七年五月二十七日，當我領受到投到我們基地的汽油彈的高熱時，上
帝曾給予我驚鴻一瞥。

當軍隊隨隊牧師爲我們死去的袍澤舉行野戰場地儀式時，我覺得祂就在我周

遭。

當我告訴部屬，爲自己留一顆子彈，那是在一個炎熱潮濕的日子裡，我們即將在遙遠的地方被侵略、攻佔，我看到祂反映在我部屬臉上。

祂導引我在每一次空襲時祈禱，當時我們遇上幾乎要送命的災難。

當我們派出夜襲伏兵時，

由於黑暗，我幾乎看不見自己的手，

但，我可以感受到祂的手。

祂派遣寂寞前來保證歡樂的回憶總是在人生的後期出現。

我將一直記得上帝給予孤兒——戰爭之子的力量。

祂使他們強壯，但是他們並不明白。

我知道二十五年後，我們在相同星空下入眠。

祂歡送男孩們從軍。
他們變成年輕人歸來；
他們的生命永遠改變了，
爲了能夠保護自由之土而感到驕傲。

我不知道上帝是否上教堂，
但是我知道祂從軍。

貝利．L．麥克艾派博士
美國第九騎兵隊第一騎兵營

騎單車

生命就像騎單車一樣，除非你停止踩踏板，否則不會掉下去。

克勞得．皮普

起初我把上帝當作一個觀察家，一位冥冥中的法官，時時注意我犯錯的紀錄。如此一來，上帝便會知道在我死後，我應該上天堂或下地獄。祂總是在我生活之外，就像總統這一類的人。當我看到祂的照片時，我認得出來，但是我的確完全不了解祂。

但是後來，當我更加認識天主後，生命就好像在騎單車，而且是部協力車，我注意到上帝在後座幫我踩踏板。

我不知道從什麼時候起，祂建議我們交換位置，而生命從此就完全不同了……。換言之，與天主同在的生命，變得更加多采多姿。

當我在控制單車時，我知道路。相當無聊，但是凡事都在意料之中。怎麼走都是兩點之間最短的距離。

但是當祂領路時，祂知道哪兒有心曠神怡的轉彎道，騎上山，越過石礫地帶，以極爲危險的速度前行；我所能做的只是緊抓不放！即使是看起來幾近瘋狂，祂依舊說：「踩下去，踩啊！」

我擔憂，而且開始變得焦慮，問：「祢要帶我去那裡？」祂只是笑而不答，我卻發現自己開始放寬心。我很快就忘記我的無聊生命，進入冒險園地。當我說「我害怕」時，祂會往後靠，拉著我的手。

祂帶我去見一些具有我所欠缺的天賦的人們；療傷止爭的天賦、容忍的天賦，還有歡樂的天賦。他們賜予我這些天賦，讓我繼續我的旅程。「我們的」旅程，也就是上帝的以及我的。

我們再度出發。祂說：「送掉這些天賦吧！它們是額外的行李，太重了。」於是我照做，把它們送給我們所遇到的人們。而且我發現送掉以後，我們的負擔減輕了。

一開始我不信任祂來掌控我的生命。我想祂會毀了它。但是祂知道「單車的

如何使它傾斜角度來通過急轉彎，如何使它在岩礫上跳躍奔馳，如何使它電馳雷奔來縮短通過驚心動魄之路的時間。

我學會了閉嘴，也學會了在最奇怪的地方踩著單車，而且我開始學會享受沿途風光以及迎面的涼風，與我可愛的長久良伴——我的天主——一起分享。

當我確信我不能再走下去時，祂只是笑著說：「踩下去啊……」

無名氏

心靈雞湯徵文

看心靈雞湯
分享心靈故事

晨星邀請您一起來熬燉心靈雞湯

⊙內容：舉凡您生活周遭所見所聞或您親身經歷，能給您心靈成長啓發的溫馨趣味感人的故事。

⊙辦法：1000～2000字內

請以500字稿紙書寫，並載明姓名、聯絡住址及電話

寄至台中市工業區30路1號

晨星出版社／心靈系列編輯組收

若經採用將集結成書，

並給予優渥稿酬。

皮爾博士

二十世紀積極思想大師

人生光明面 皮爾博士著 250元

《人生光明面》是皮爾博士歷久不衰的叫座好書，讀者人口累積數以千萬計。本書指引讀者，天下任何問題、任何困難，總會有一條出路，而這條出路就在於積極的思想與積極的行動。你將會從中發現一個驚人的秘密，原來「積極的態度」能讓你遭遇挫折而不沮喪，遭遇阻礙也不退縮！

獲致成功的六大秘笈 皮爾博士著 150元

本書是皮爾博士又一席捲全球的魅力作品，自推出以來，即深獲讀者的好評。皮爾在書中以實際的行動方針幫助讀者獲致成功。確實應用書中提供的六大致勝秘笈，將使你在面對懼怕、面對憂傷時，讓熱情進入生命之中，進而肯定自我、憧憬未來。你若想在人生的各種挑戰中獲勝，就不能錯過這本「成功秘笈」。

沒有一個地方叫遠方

勁書叢草15

李查・巴哈／著

沙畢羅／繪圖

170元

全球獨家國際中文版

天地一沙鷗暢銷作家李查・巴哈

又一清新永恆寓言。

晨星出版社

郵撥：0231982-5

讀者服務資料卡

姓名：______________________性別：□男　□女

生日：　　／　　／　　　　　　身分證字號：______________________

地址：____

郵遞區號：□□□　聯絡電話：　　　　　　（公司）　　　　　　　（家中）

教育程度：□小學　□國中　□高中（職）　□專科　□大學　□研究所以上

職業：□學生（學校：______________________）□軍公教　□上班族　□家管

□自由業　□企業主　□其他：______________________

購買書名：____

您最喜歡的書籍種類：______________________________________

您從那裡得知本書：□書店　□報紙廣告　□雜誌廣告　□親友介紹

□海報　□DM　□其他：______________________________

您對本書內容的意見：

A：內容／□好　□普通　□不好

B：封面設計／□好　□普通　□不好

C：定價／□低　□普通　□太高

您希望本公司能加強出版那一種叢書？

□文學類　□史哲類　□生活類　□漫畫類

□理財類　□社會科學　□自然科學　□語言類

□其他／例如：______________________________________

您希望我們爲您出版哪一位作者的作品：

1 ______________________ 2 ______________________ 3 ______________________

您的建議：

- -

- -

- -

裝訂處

廣告回函
台灣中區郵政管理局
登記證第267號

晨星出版社

台中市工業區30路1號
電話：(04)3595819～20
郵撥：02319825

請寄回這張資料，您將可以——

⊙隨時收到最新的出版訊息

⊙參加專爲您設計的回饋優惠活動

請沿虛線摺下裝訂，謝謝！

勁草叢書36

心靈雞湯Ⅱ

編者 Jack Canfield & Mark V. Hansen
譯者 吳淡如・林志豪
文字編輯 郭玉敏
美術編輯 莊麗琄

發行人 陳銘民
發行所 晨星出版社
台中市工業區30路1號
TEL:(04)3595820 FAX:(04)3595493
郵政劃撥：02319825
行政院新聞局局版台業字第2500號
法律顧問 甘龍強律師
印刷 大成印刷廠
初版 中華民國85年4月1日

總經銷 知已有限公司
〈台北公司〉台北市羅斯福路二段79號7F之9
TEL:(02)3672044 FAX:(02)3635741
〈台中公司〉台中市工業區30路1號
TEL:(04)3595819 FAX:(04)3595493

定價250元
（缺頁或破損的書，請寄回更換）
ISBN 957-583-533-6
國際中文版授權◎博達著作權代理有限公司
Original title "A 2nd helping of Chicken Soup for the Soul"

Published by arrangement with
HEALTH COMMUNICATIONS, INC.
3201 S.W. 15th St., Deerfield Beach, FL 33442-8124, U.S.A

國立中央圖書館出版品預行編目資料

心靈雞湯. Ⅱ／傑克・坎菲爾(Jack Canfield), 馬克・韓森(Mark V. Hansen)編著；吳淡如、林志豪譯.－－初版.－－臺中市：晨星發行；臺北市：知己總經銷，民85

面； 公分.－－（勁草叢書；36）

譯自：A 2nd helping of chicken soup for the soul：101more stories to open the heart and rekindle the spirit

ISBN 957-583-533-6（平裝）

874.6 85002227